보건직, 보건진료직, 의료기술직, 군무원, 보건연구사,
보건복지부 공무원, 각종 보건관련 승진시험대비

#단박에 합격하기

공중보건

핵심요약집

최성희, 홍아란 공저

- 최근 10년간 기출문제 분석을 통한 핵심정리
- Check Point와 Tip으로 알찬 내용 보강
- 각 단원별 중요이론의 도표화로 체계적 기술

공중보건 핵심요약집
(단박에 합격하기)

제1판 1쇄 인쇄 | 2022년 07월 01일
제1판 1쇄 발행 | 2022년 07월 11일

지 은 이 최성희, 홍아란
발 행 인 장주연
출 판 기 획 한인수
책 임 편 집 구경민
표지디자인 이종원
내지디자인 이종원
발 행 처 군자출판사
등록 제 4-139호(1991. 6. 24)
(10881) **파주출판단지** 경기도 파주시 회동길 338(서패동 474-1)
전화 (031) 943-1888 팩스 (031) 955-9545
www.koonja.co.kr

ISBN 979-11-5955-900-6
정 가 20,000원

단박에 합격하기

공중보건

핵심요약집

profile

저자 약력

최성희

충남대학교 간호학 석사
한양대학교 간호학 박사 수료
前 가톨릭대학교 대학병원 간호사
前 질병관리청 국민건강영양조사과 기술연구원
前 전북보건안전센터 산업간호협회 사업과장
現 해커스 공무원 간호직/ 보건직 대표 교수
전북과학대학교 간호학과 초빙교수

저서

『9급 공중보건』
『보건행정 이론서』
『8급 지역사회간호학』
『간호관리학 이론서』 등 다수 수험서

논문

관상동맥질환자의 생활습관과 삶의 질 건강군과의 성향점수매칭 비교 등 간호와 보건의료에 관련 다수 논문

홍아란

서울보건대학교 임상병리학과를 졸업
前 국립암센터 임상연구협력센터 근무
現 의정부성모병원 임상병리사

저서

『임상병리사 실전모의고사 실기편』 (2012~2019)
『임상병리사 실전모의고사 필기편』 (2012~2019)
『임상병리사 의료관계법규』 (2018)
『공중보건(7, 9급) 핵심요약 및 적중예상문제』 (2016)
『임상병리사 이론요약집』 (2013) 외 다수 수험서

preface

머리말

본서는 보건직, 보건진료직, 의료기술직, 보건복지부 공무원, 군무원 등 국가공무원 시험이나 보건의료인 국가시험을 준비하는 수험생들, 또한 승진시험을 앞두고 준비 중인 분들에게 도움을 주기 위해 최신 기출문제 내용을 포함하여 다년간의 기출문제들을 철저하게 분석하고 연구하여 출간한 요약집입니다.

공무원 시험에 대비하기 위해서는 기본적으로 이론에 충실하며 기출문제를 철저하게 분석하여 어떠한 문제가 나오더라도 망설임 없이 정답을 찾을 수 있을 정도의 실력을 쌓아야 합니다.

본 수험서를 집필하면서 시험에 자주 출제되는 공중보건의 기본적이고 핵심적인 이론을 다시 한 번 검토하고 정리하였습니다. 수험생들의 입장에서 반드시 필요한 공중보건학의 이론을 정리하였고, 방대한 내용을 표로 도식화하여 체계적으로 기억할 수 있도록 하였으며, 이해가 어려운 내용에 대해서는 Check Point와 Tip을 첨가하여 쉽게 이해할 수 있도록 준비하였습니다.

본 수험서는 해커스 공무원 보건직에서 강의용으로 활용 중이며, 이론의 내용을 정리할 때 동영상 강의가 필요하신 분들은 egosi.hackers.com에서 이론 강의를 유료 수강할 수 있습니다.

마지막으로 본 수험서 출판에 도움을 주신 군자출판사 대표님 및 임직원들께 깊은 감사를 드리며, 해커스 공무원 수험생 여러분과 전국의 공무원 시험 도전자, 보건관련 승진 대상자들의 건승을 기원합니다. 감사합니다.

2022년 6월 30일

저자 최성희, 홍아란

contents

Part 1. 공중보건과 건강

Part 2. 역학과 질병관리

Part 3. 환경관리

Part 4. 보건관리

Part 5. 영역별 보건

part

01

공중보건과 건강

제1장 공중보건학

1. 공중보건학의 이해

① 정의: 공중보건학은 조직된 지역사회의 공동노력을 통해 질병을 예방하고 수명을 연장시키며 신체적, 정신적 효율을 증진시키는 기술이며 과학.(윈슬로, C. E. A. Winslow, 1920)

② 공중보건의 목적: 개인이 아닌 지역사회 인구집단을 대상으로 질병을 예방하고 생활환경을 위생적으로 하여 수명을 연장, 정신적 · 신체적 건강과 효율의 증진 등을 위함.

③ 목적 달성을 위한 지역사회의 노력: 공중보건사업 대상은 개인이나 가족이 아닌 지역사회 전체 주민의 공동노력으로 이루어지고, 공중보건의 최소단위는 지역사회

2. 공중보건학의 유사 영역

① 위생학: 가장 오래된 학문으로 좁은 의미의 환경위생학과 넓은 의미의 공중위생학으로 분류

② 예방의학: 질병예방을 목적으로 질병과 관련된 건강문제의 상호작용 관계를 포괄적으로 다룬다는 점에서 공중보건과 유사하지만 예방의학의 연구대상은 개인이나 가족을 중심으로 하고, 공중보건학의 연구대상은 지역사회의 인구집단이라는 점에서 차이가 있음.

③ 사회의학: 건강 위험 요인을 사회과학적으로 접근하여 병에 걸리기 쉬운 사회적요인을 제거하는데 집중

④ 지역사회의학: 건강은 지역사회의 책임으로 간주하여 지역사회를 기반으로 역학적 접근으로 지역주민에게 제공되는 포괄적 의료 개념

⑤ 건설의학: 질병의 예방이나 치료보다는 현재 건강상태를 최고도로 증진시키는데 중요 이념을 포함

⑥ 재활의학: 일단 발생한 건강장해 요인을 최소한으로 줄이고, 후유증을 극소화하며, 남아 있는 기능에 대한 활용방안을 강구하는 사후적 의학

구분	공중보건학	임상의학(전통의학)
대상	지역사회주민	환자 개인
목적	질병예방, 수명연장, 건강증진	개인 치료
평가방법	보건통계방법	임상적 검사 및 진단

3. 공중보건학의 역사

1) 외국 공중보건의 역사

고대기 ▸ 중세기 ▸ 여명기(근세기) ▸ 확립기(근대기) ▸ 발전기(현대기)

(1) 고대기(기원전~500년)

① 메소포타미아

▸ 함무라비법전: 의료제도 등의 공중보건 내용이 기록된 최초 법전

▸ 레위기: 위생법전

② 그리스 히포크라테스(Hippocrates)

▸ 4체액설: 신체 내에 4가지 체액(혈액, 점액, 황담즙, 흑담즙)의 균형에 의해 건강이 유지되고, 불균형 상태일 때 건강을 잃을 가능성이 높음.

▸ 장기설(독기설): 모든 질병은 나쁜 공기에 의해 전파된다고 하는 믿음→ 최초로 질병과 환경요인과의 연관성 제기

▸ Epidemic 사용

③ 로마

▸ 위생(Hygiene) 단어 최초 사용

▸ 히포크라테스의 장기설(독기설) 발전시킴.

▸ 로마시대 3대 감염병: 발진티푸스, 천연두, 페스트

④ 이집트

▸ 상하수도 시설, 배수 시설, 공중목욕탕 시설 등

(2) 중세기(500~1500년)

▸ 암흑기, 감염병 만연기

▸ 콜레라(회교도 성지순례), 나병(십자군운동), 천연두, 홍역, 페스트(흑사병), 매독, 결핵 등의 감염병 유행

▸ 페스트(흑사병) 발생 지역에 최초검역소 설치(검역제도 최초 시행, 검역법 제정)

▸ 대부분의 사회문제 및 정신문제는 종교적(교회, 기도원, 수도원 중심 보건)으로 치유되어야 한다는 당시 로마 가톨릭 교회의 사회 분위기 조성

TIP!

1383년 프랑스 마르세이유에서 40일간 교통차단을 시작으로 최초 검역소 설치, 검역제도 시행, 검역법 제정

(3) 여명기(근세기, 요람기, 르네상스시대)(1500~1850년)

▶ 시기적 특성:
- 공중보건의 사상이 시작된 시기로 개인위생에서 공중위생으로 변화된 시기
- 중세의 종교적인 압박에서 벗어나 근대과학, 산업혁명(1780~1830: 콜레라, 폐결핵 감염병 만연)으로 도시지역 인구 집중하여 공중보건의 사상이 싹튼 시기

▶ 최초의 인구학과 보건통계학의 논문 발표(1662년): 영국의 존 그랜트(John Graunt, 보건통계학의 시조)

▶ 현미경 발견(1683년): 네덜란드의 레벤후크(Leeuwen Hoek, 미생물학 창시자)

▶ 직업병 저서『직업병에 관하여』발간(1713년): 이탈리아의 라마치니(B.Ramazzini)

▶ 최초의 공중보건학 저서: 독일의 프랑크(J.P.Frank, 1745-1821)는『전의사 경찰체계』라는 공중위생에 관한 책 12권 출간하였으며, 개인의 건강이 국가의 책임이라는 건강의 국가책임론 주장

▶ 최초로 국세조사 실시(1749년): 스웨덴

▶ 종두법(우두종두법) 개발(1798년): 영국의 제너(Edward Jenner)

▶ 최초의 공중보건법 제정 계기(1848년): 영국의 에드윈 채드윅(Edwin Chadwick) 이 법을 근거로 공중보건국과 지방보건국, 보건부 설치

(4) 확립기(근대기)(1850~1900년)

▶ 시기적 특성
- 예방의학적 사상이 시작된 시기로 방문간호사업 시작, 예방 백신 발견으로 인구 폭발적 증가
- 세균학 및 면역학, 역학조사 대두
- 공중보건학의 기초 확립 시기

▶ 근대 역학 시조: 영국의 존 스노우(John Snow), 콜레라 원인규명에 관한 발표(1855년)

▶ 근대의학의 창시자: 프랑스의 파스퇴르(Louis Pasteur)(1860년), 닭콜레라 백신, 광견병 백신, 탄저병 백신 등 개발

▶ 최초로 방문간호사업 실시: 영국의 라스본(William Rathborne)(1862년), 영국의 리버풀(Liverpool)에서 최초로 방문간호사업 실시 → 오늘날 보건소 제도의 효시

▶ 결핵균, 콜레라균, 탄저균 등 발견: 독일의 코흐(Koch)(1843~1910년), 세균면역학의 기초가 형성, 세균학의 선구자

▸ 최초 사회보장제도 실시: 독일의 비스마르크Bismark(1883년) 세계최초 근로자 질병보호법 제정으로 사회보장제도를 만드는 데 공헌

(5) 발전기(현대기)(1900년 이후~)

▸ 사회보장제도와 보건소 제도가 확대 · 발전된 시기, 탈미생물학 시기, 신공중보건 태동으로 기존의 개인적 접근 범위의 공중보건에서 포괄적 보건사업으로 발전되는 시기

▸ 세계 최초 보건부 설치: 영국 (1919년)

▸ 세계 최초 사회보장법 제정: 미국 (1935년)

▸ 국제연합(United Nations) 창립 (1945년)

▸ 유엔아동기금(UNICEF), 국제노동기구(ILO) 창립 (1946년)

▸ 세계보건기구(WHO) 창립 (1948년)

▸ 국제환경계획(UNEP) 창립 (1972년)

TIP!

Bismark 3대 사회보험법 :

1. 질병보험법(1883년)
2. 노동재해보험법(1884년)
3. 노령및폐질보험법(1889년)

2) 우리나라 공중보건의 역사

(1) 삼국시대

① 고구려: 시의(왕실의료 담당)

② 백제:

▸ 채약사(의약 품 담당하는 관직)

▸ 의박사(질병 치료 담당하는 관직)

③ 신라: 승의 활동

▸ 약부(질병치료와 약재 등의 조달을 주관하는 관서)

(2) 통일신라시대

① 약전: 의약행정 담당

② 내공봉의사: 왕실의료 담당

(3) 고려시대

① 혜민국: 서민의료 담당

② 제위보: 서민구휼 담당

③ 동서대비원: 빈민 대상의 국가 구제기관

④ 태의감: 왕실 의약과 질병치료 담당
⑤ 상약국: 왕실 어약 담당

(4) 조선시대

① 혜민서: 서민의료 담당
② 활인서: 감염병 환자 치료
③ 전의감: 의약행정 담당
④ 내의원: 왕실의료 담당
⑤ 제생원: 의녀 근무, 구료기관

(5) 조선시대 말기

① 광혜원: 한국 최초의 서양식 병원
② 위생국 설치, 서양의학 도입 등

Check Point.

	통일신라시대	고려시대	조선시대
서민의료		혜민국	혜민국
감염병 환자 치료		동서대비원	활인서
왕실의료 담당	내공봉의사	상약국	내의원
의약행정 담당	약전	태의감	전의감
구료기관		제위보	제생원(의녀 근무)

(6) 일제강점시대(경찰행정시대)

위생국에서 경찰국위생과(의약행정 담당)로 축소

TIP!

의녀: 조선시대에 성리학의 영향으로 엄격한 남녀구별 때문에 남자의원에게 진료받기 어려운 부인들의 질병을 치료하기 위해 여자의원을 두게하는 제도 실시

(7) 미군정시대(광복 직후, 1945~1948년)

위생국 → 보건후생국
→ 보건후생부(의약행정담당)로 승격

(8) 대한민국정부 수립 이후(1948년 이후 ~ 현재)

보건복지부: 의약행정 담당

TIP!

위생국(1894) → 경찰국 위생과(1910) → 위생국(1945) → 보건후생부(1946) → 사회부(1948년) →보건부(1949) → 보건사회부(1955) → 보건복지부(1994) → 보건복지가족부(2008) → 보건복지부(2010)

4. 공중보건사업

1) 공중보건사업 대상

지역사회 전체의 주민

2) Anderson의 공중보건사업수행 3대 요소

(1) 보건행정

보건서비스에 대한 봉사행정

(2) 보건교육

조장행정(가장 효과적인 방법)

(3) 보건관계법규

통제행정(후진국에서 효과적인 방법)

3) Ashton & Seymour의 공중보건 4단계

산업보건대두 시기	산업화와 도시화로 인해 발생한 보건문제에 대처하는 단계
개인위생중점 시기	개인위생과 예방접종을 중점으로 하는 단계
치료의학 시기	의료기술 및 의약 품개발로 치료의학이 발전하는 단계
신공중보건 시기	보건의료서비스(행동요인, 생체적요인, 환경공해, 라이프스타일) 제공 단계

4) 공중보건의 3대 원칙(세계보건기구)

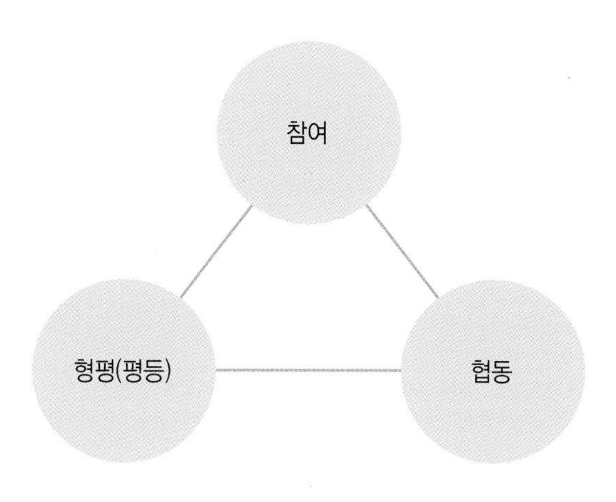

5) 공중보건의 기능(범미보건기구, Pan American Health Organization)

① 건강증진
② 사회적인 참여와 역량 강화
③ 공중보건규칙 제정과 준수
④ 공중보건 인력개발 및 교육
⑤ 건강상태에 대한 모니터링과 분석
⑥ 보건의료서비스의 균등한 분배와 개선을 위한 평가
⑦ 개인과 인구집단의 보건의료서비스에 대한 질 관리
⑧ 공중보건의 위험요소와 위해요소에 대한 감독 및 연구
⑨ 응급 및 재난 상황에서 피해를 최소화하기 위한 대책개발
⑩ 혁신적인 보건의료문제 해결방안에 대한 연구, 개발 및 중재
⑪ 공중보건 분야 간의 협력과 국가적 차원의 보건정책기획, 계획, 관리능력개발

1. 건강의 개념

1) 건강의 정의(고전적, 세계보건기구 WHO, 1948년)

건강이란 단순히 질병이나 상해가 없다는 것에 끝나지 않고 신체적, 정신적, 사회적으로 완전하게 안녕한 완전한 상태에 있는 것

2) 건강의 정의

건강은 단지 질병이 없거나 허약하지 않을 뿐만 아니라 신체적, 정신적, 사회적 및 영적 안녕이 역동적이며 완전한 상태를 의미(1998년에 영적 안녕의 개념을 추가하기로 했으나 1999년 총회에서 취소되었다).

3) 사회적 안녕(social well-being)

① 복잡한 사회를 살고 있는 현대인에게 더욱 요구되는 건강 개념으로 인간과 동물을 차별화하는 척도가 되는 건강 개념

② 건강의 사회적 측면을 중시한 적극적인 건강증진의 개념

③ 진정한 건강은 사회구성원으로서 자신의 역할과 기능을 충실히 하는 것

④ 사회적 안녕은 인간과 동물을 구별하는 척도

⑤ 사회적 안녕은 사회속에서 자신의 삶의 가치와 보람을 창출하는 핵심 개념

4) 학자별 건강의 정의

학자	건강개념
Claude Bernard (1859, 프랑스)	건강은 외부환경의 변화에 대하여 내부환경의 항상성(恒常性. Homeostasis)이 유지된 상태
Wylie	건강은 유기체가 외부환경 조건에 부단히 잘 적응해 나가는 것
H.E. Sigerist (의사학자, 醫史學者)	건강은 생활상의 요구와 조건에 적응하도록 내부 제 기관의 조화와 통일이 유지된 상태
Talcott Parsons (미국의 사회학자)	건강은 각 개개인이 사회적인 역할과 임무를 효과적으로 수행할 수 있는 최적의 상태로 개인의 사회적 기능 측면에서 건강을 정의
C. C. Wilson	건강은 행복하고 성공된 생활을 조성하는 인체의 상태로 건강의 주관적 측면 강조
Leavell & Clark(1965)	병인, 환경, 숙주의 3원론

Milton Terris	상병이나 불구의 결함이 없을 뿐 아니라, 신체적 · 사회적 안녕 및 가능할 수 있는 능력의 상태
Roy(1976)	초기에는 건강-질병의 개념을 연속선으로 보았으나, 최근에는 통합적이고 전인적인 인간에 도달해 가는 과정이나 상태롬 봄. 적응상태
Parsons(1964) 사회의학 및 구소기능주의자	건강이란 인간이 자신에게 기대되는 역할을 최고의 결과로 사회적 역할을 수행하는 상태로 역할수행 개념 강조
Dubos(1965)	건강이란 유기체가 환경에 대해 유연하게 적응을 유지하며 최대의 이익을 얻는 방향으로 환경과 상호작용을 하는 상태로 적응 건강 개념
Maslow(1920)	건강을 이상적인 본성과 개성으로 표현. 행복론적 개념
Halbert Dunn	높은 수준의 안녕. Health Grid 개념
Travis	질병-안녕 연속개념

5) 건강 개념의 변천

신체개념(19세기 이전) → 심신개념(19세기) → 생활개념(20세기) → 생활수단개념(1986. 오타와 헌장)

2. 건강 행동

1) 개념

건강을 유지하고 개선하는데 영향을 미치는 바람직한 행동, 습관

2) 질병의 자연사와 예방수준

(1) Leavell & Clark(리벨과 클락)의 분류

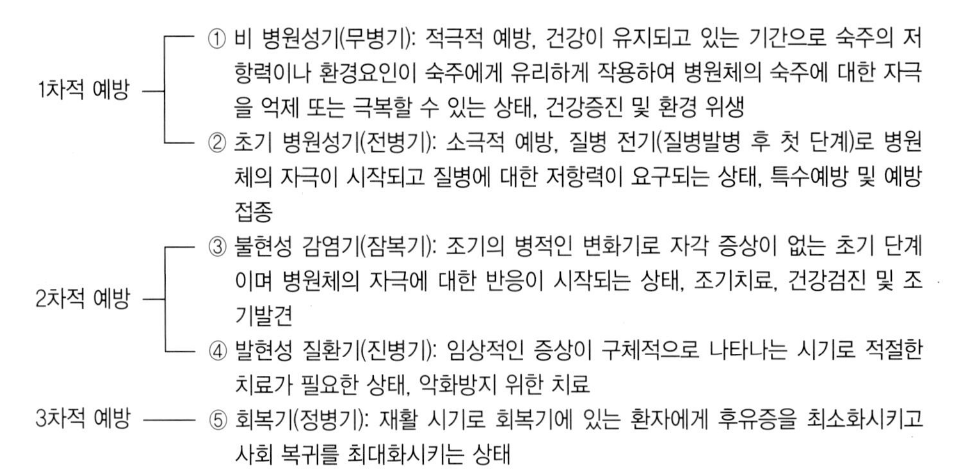

Check Point.

	Ⅰ	Ⅱ	Ⅲ	Ⅳ	Ⅴ
질병의 과정	무병기 (비병원성기)	전병기 (초기병원성기)	잠복기 (불현성감염기)	진병기 (발현성질환기)	정병기 (회복기)
예비적 조치	· 적극적 예방 · 환경위생 · 건강증진	· 소극적 예방 · 특수예방 · 예방접종	· 중증의 예방 · 조기진단 및 집단검진	· 치료 · 질병의 진행방지	· 무능력 예방 · 재활치료 · 사회생활 복귀
예방 차원	1차적 예방		2차적 예방		3차적 예방

3) 생태학적 모형

(1) 개념

① 질병발생의 요인: 병원체, 숙주, 환경의 상호 작용에 의한 결정

② 병원체, 숙주, 환경 이 세 가지 요인이 균형을 이룰 때 건강을 의미하며 불균형할 때에 건강의 악화

③ 생태학적 모형의 한계: 유전적 소인이 있는 질병이나 병원체가 명확히 알려져 있지 않는 비감염성질병에 대한 한계

(2) 세 가지 요인

① 병원체: 질병 발생의 핵심적인 역할을 하는 부분이며 생물학적, 화학적, 물리적, 유전적, 신체적 요인 등

② 숙주: 성격, 유전적 소인, 성, 연령, 개인 또는 집단의 습관, 사회 계급, 생물학적 특성 등의 포함

③ 환경: 사회적, 물리적, 화학적, 생물학적, 경제적 환경 등의 포함으로 가장 중요한 요소이며 지렛대 역할.

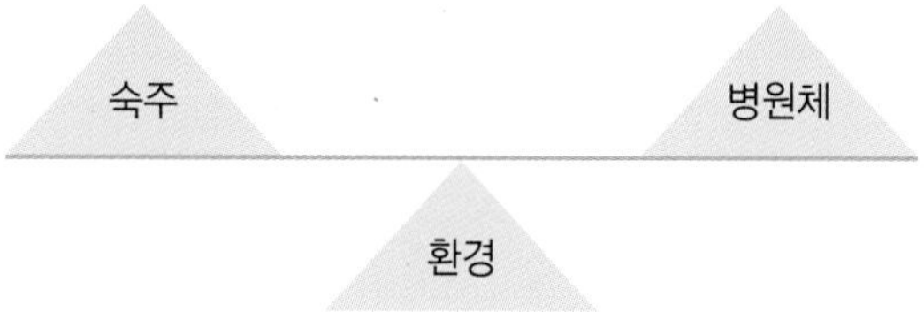

숙주

병원체

환경

TIP!

Lever Theory: 지렛대 이론
질병 발생 기전을 병원체, 숙주, 환경 요인으로 지렛대 비유에 설명하였다.

4) 사회생태학적 모형

(1) 개념

① 개인의 사회적, 심리학적, 행태적 요인을 중시하는 모형으로 주요인, 외부환경요인, 개인행태 요인이 주요요소

② 질병 발생에 영향을 주는 요인으로 개인과 집단의 행태를 중요한 결정요인으로 강조하는 모형

(2) 세가지 요인

① 숙주 요인(내적 요인): 선천적, 유전적, 후천적, 경험적 요인

② 외부 환경요인(외적 요인): 생물학적, 물리적, 사회적 환경요인

③ 개인 행태요인: 사회 · 생태학적 모형의 가장 큰 특징으로 건강에 대해 개인의 행동적 요인(올바른 생활습관 형성)을 중요시 함.

(3) 사회생태학적모형의 의한 건강에 영향을 주는 내외적인 요인 (McLeroy 등, 1988)

내적 수준	• 개인이 가진 지식, 태도, 신념, 성격특성, 자기효능감 등이 건강에 영향을 미침
대인적 수준	• 건강에 영향을 주는 외적 요인으로 친구, 동료, 친척 등과의 관계를 포함 • 이들은 개인의 사회적 정체감에 영향을 주며, 사회적 지지체계를 구성하고 사회 구조 내에서 개인의 역할을 결정함
조직적 수준	• 개인의 건강행위를 증진하기도 억제하기도 함 • 근무환경과 관련되는 규칙, 규제, 비형식적 조직의 정책 등이 포함
지역사회 수준	• 사회적 네트워크, 개인, 집단, 조직 내에 공식적 또는 비공식적으로 존재하는 행동 규범 또는 표준을 의미
사회적 수준	• 사회적 수준에서 건강행위를 권장하거나 금지하는 요소는 다양함 • 경제상태, 사회정책, 문화적 규범 등

5) 전체론적(총체적) 모형

① 개념: 건강과 질병을 이분법적으로 구분하는 것이 아니라 정도에 따른 연속 선상에 있는 것으로 파악하는 전인적 모형을 의미

② 질병발생: 환경이나 개인 행태요인 등이 복합적으로 작용하여 발생

③ 치료의 의미: 질병 제거만이 아니라 건강을 증진시키고, 사회적 도움, 교육, 건강관리 능력을 향상시키는 등의 넓은 개념으로 봄.

④ 기본 요인: 건강에 영향을 미치는 기본 요인
예) 환경, 생활습관, 생물학적 특성, 보건의료시스템

3. 건강수준평가지표

1) 세계보건기구(WHO)의 국가 간 보건수준평가 3대 건강지표

(1) 평균수명(Expectation of Life)

0세의 평균수명(평균여명)

(2) 조사망률(보통사망률; Crude Death Rate)

① 1년 간의 사망자 수를 그 해의 인구로 나눈 수치를 1,000 분비로 나타낸 것으로 인구 1,000명당 그 기간 동안 몇명이 사망했는지를 나타냄.

② 조사망률(CDR)

$$= \frac{\text{특정 1년간의 총 사망자 수}}{\text{당해 연도의 연앙인구}} \times 1{,}000$$

③ 영아사망률에 비해 통계적 유의성이 작음.(조사망률이 보건수준 외에 연령구성비에 의한 영향을 크게 받기 때문)

TIP!

출생률과 사망률을 산출할 때 보통 그 해의 중간인 7월 1일을 기준으로 하는데, 이때의 인구를 연앙인구라고 한다.

(3) 비례사망지수(PMI: Proportional Mortality Indicator)

① 연간 총 사망자 수에 대한 50세 이상의 사망자 수를 백분율로 표시한 지수

② 연간사망지수

③ 비례사망지수가 높을수록 장수인구가 많고 건강수준이 높음.

$$= \frac{\text{50세 이상의 사망자 수}}{\text{연간 총 사망자 수}} \times 100$$

④ 지역의 인구구조에 대하여 민감하게 반영

2) 국가 간 또는 지역사회 간 보건수준 평가 3대 지표

(1) 영아사망률

① 지역사회의 건강수준을 나타내는 대표적인 지표

대표적 지표로 쓰이는 이유: 성인에 비해 환경변화에 민감한 기간이 영아(출생 후 1년)이기 때문에 지역사회 건강수준 평가에 대표적인 지표로 중요

② 출생 후 1년 안에 사망한 영아의 사망률

③ 영아사망률

$$= \frac{\text{어느 해 영아 사망자 수}}{\text{어느 해 신생아 출생 수}} \times 1{,}000$$

④ α−Index

$$= \frac{\text{어느 해 1세 미만 사망 자 수}}{\text{어느 해 신생아 사망 자 수}}$$

→ α−Index의 값이 1.0에 가까울 때: 선진국형이고 보건 수준이 높음.

1. 보건의료의 개념

1) 시대에 따른 개념의 변화

(1) 의학

치료의학 → 예방의학 → 재활의학 → 건강증진

(2) 의료

▶ 인간 개개인을 대상으로 하는 의료 → 지역사회 전체 주민을 대상으로 하는 보건의료

▶ 자연과학적 접근에 따른 의료 → 사회과학적 접근이 추가된 보건의료

(3) 의료 사업

치료의학 → 포괄적 의료(치료의학과 예방의학의 조화) → 포괄적 보건의료(치료+예방+재활+건강증진 등의 모든 건강관리를 포함)

2. 포괄적 보건의료

① 예방의학과 치료의학의 통합

② 1차 의학(예방) + 2차 의학(치료) + 3차 의학(재활) + 건강증진

1) 질병예방적 관점 서비스 유형

(1) 1차적 예방(비 병원성기, 초기 병원성기)

▶ 정의: 질병이 발생하지 않은 시점에서 예방조치로 최상의 건강상태로의 구축 단계

▶ 구성: 건강증진과 특수 예방서비스

▶ 적극적 예방: 건강증진, 환경위생, 운동, 규칙적 생활 등

▶ 소극적 예방: 특수예방, 예방접종, 약물예방, 화학적 예방 등

(2) 2차적 예방(불현성 감염기, 발현성 질환기)

▶ 정의: 조기발견과 조기치료의 단계로 질병이 발생한 후에 질병의 진행 저지 단계

▶ 구성: 건강검진을 포함한 증상을 보인 후 진행되는 모든 진단과 치료서비스

▶ 서비스 내용: 조기진단, 건강검진, 조기치료, 악화 및 장애 방지를 위한 치료 등

(3) 3차적 예방(재활기)

- 정의: 질병이 치료된 후에 이뤄지는 재활 및 사회복귀 단계
- 구성: 질병으로 인해 발생한 신체적, 정신적 장애로 정상적인 활동을 가능하게 하기 위해 제공되는 모든 서비스
- 서비스 내용: 의학적, 사회적, 직업적 재활

2) 보건활동 관점 서비스 유형

(1) 일차 보건의료

지역사회에서 발생하는 기본적인 보건활동을 시행하는 전통적인 보건활동으로 모자보건사업, 풍토병관리사업, 예방접종사업, 영양개선활동사업, 식수위생사업 등이 해당

(2) 이차 보건의료

전문활동의 요구, 급성 질환의 관리, 병원에서의 입원치료를 요하는 환자관리사업으로 전문적인 인력과 입원시설, 등 제공

(3) 삼차 보건의료

환자 재활, 노인성 질환의 관리 등을 주로 담당하며, 3차 의료서비스는 재활을 필요하는 환자 및 노인의 장기요양이나 만성질환자 관리사업 등이 중심이 되며, 특히 노인성 질환 관리가 중요하다. 특성 의료영역에 대해서 보다 전문적인 팀으로 구성되며 특수한 장비와 시설을 제공할 수 있는 환경이 필요

3. 일차 보건의료(Primary health care)

1) 개념

(1) 일차 보건의료 철학

WHO가 1978년 구소련의 알마아타 선언을 통해 일차 보건의료를 강조. 사람의 기본적 권리인 건강의 불평등을 해소하여 의료, 예방활동, 건강증진활동의 적극적인 전개를 도모

- 건강권: 2000년까지 지구상의 모든 사람의 건강권을 보장해야 한다. “Health for all by the year 2000”
- 평등권: “모든 국가는 건강을 인간의 기본권으로 규정하고 국가 간, 계층 간에 존재하는 건강수준에 있어서의 불평등을 해소하기 위하여 일차 보건의료를 채택하여 노력해야 한다.”

(2) 일차 보건의료 의미

공공보건사업의 일환으로 사회적 수용 가능한 방법을 통해 지역주민들의 적극적 참여로 지불능력에 맞게 지역사회 내에서 수행

(3) 일차 보건의료 범위

지역사회에서 발생하는 기본적인 보건활동을 시행하는 전통적인 보건활동으로 모자보건사업, 풍토병관리사업, 예방 접종사업, 영양개선활동사업, 식수위생사업, 일반적인 질병 치료사업 등 해당

(4) 일차 보건의료의 접근법(4A)

Accessible(접근성), Acceptable(수용가능성),
Available(주민참여), Affordable(지불부담능력)

2) 사업내용(WHO가 제시한 필수요소, 1978)

① 지역사회가 가지고 있는 건강문제와 이 문제를 규명하고 관리하는 방법의 교육
② 식량공급의 촉진과 적절한 영양의 증진
③ 안전한 식수의 공급과 기본 환경위생
④ 가족계획을 포함한 모자보건
⑤ 주요 감염병에 대한 예방접종
⑥ 지방병의 예방과 관리
⑦ 통상 질환과 상해에 대한 적절한 치료
⑧ 필수 의약품의 공급
⑨ 정신보건 증진

4. 건강증진

1) 건강증진 개념

건강증진은 사람들로 하여금 자신들의 건강을 관리하고 이를 개선하게 하는 과정으로 1차적 예방에 중점을 둔 적극적 예방 개념으로 개인의 생활습관의 개선뿐만 아니라 사회적 환경의 개선을 포함

2) 국민건강증진법(1995년 제정) 목적

국민에게 건강에 대한 가치와 책임의식을 함양하도록 건강에 관한 바른 지식을 보급하고 스스로 건강생활을 실천할 수 있는 여건을 조성함으로써 국민의 건강을 증진함을 목적으로 한다.

3) 건강증진 국제회의

(1) 제1차 건강증진을 위한 국제회의 – 오타와(Ottawa)

① 캐나다 오타와에서 개최하였으며(1986년 11월) 오타와 헌장 채택

② 주제: 오타와 헌장에서의 건강증진 활동 영역

- ▸ 건강한 공공정책 수립
- ▸ 건강지향적 환경조성
- ▸ 지역사회활동 강화
- ▸ 개인의 기술 개발
- ▸ 보건의료사업의 방향 재설정

Check Point.

건강증진 3대 원칙

1. 옹호: 건강한 보건정책을 수립하도록 촉구하는 것
2. 역량강화: 본인과 가족의 건강을 유지할 수 있게 하는 것을 그들의 권리로 인정하며, 이들이 스스로의 건강관리에 적극 참여하며 자신들의 행동에 책임을 느끼게 하는 것
3. 연합: 모든 사람들이 건강을 위한 발전을 계속하도록 건강에 영향을 미치는 경제, 언론, 학교 등 모든 관련분야 전문가들이 협조와 조화가 필요하여 이해관계를 파악하고 적절한 조정이 중요함.

(2) 제2차 건강증진을 위한 국제회의 – 애들레이드(Adelaide)

① 호주의 애들레이드에서 개최(1988년 4월)

② 주제: 건강증진 활동 영역 중 건강한 공공정책 수립 강조

③ 최초로 여성보건 제시된 회의

(3) 제3차 건강증진을 위한 국제회의 – 선즈볼(Sundsvall)

① 스웨덴의 선즈볼에서 개최(1991년 6월)

② 주제: 건강증진 활동 영역 중 건강지향적 환경조성 강조

(4) 제4차 건강증진을 위한 국제회의 – 자카르타(Jakarta)

① 인도네시아의 자카르타에서 개최(1997년 7월), 자카르타 선언 발표

② 건강증진을 강조

- ▸ 건강을 위한 사회적 책임 고취
- ▸ 건강개발을 위한 투자의 증대
- ▸ 건강증진을 위한 보건사업 및 제휴의 확대
- ▸ 지역사회 능력 증가 및 개인 역량의 개발 강화
- ▸ 건강증진을 위한 인프라 구축

(5) 제5차 건강증진을 위한 국제회의 – 멕시코시티(Mexico City)

① 멕시코의 멕시코시티에서 개최(2000년 6월)

② 건강증진을 위한 우선순위 주제

- ▸ 건강을 위한 사회적 책임 증진
- ▸ 건강 증진 및 보건개발을 위한 투자 증대
- ▸ 지역사회 능력 증가와 개인 역량의 개발 강화
- ▸ 건강증진을 위한 보건사업 및 제휴의 확대
- ▸ 건강증진을 위한 인프라 구축
- ▸ 보건의료체계와 서비스의 재정비

(6) 제6차 건강증진을 위한 국제회의 – 방콕(Bangkok)

① 태국의 방콕에서 개최(2005년 8월)

② 건강을 위한 우선순위 주제

- ▸ 건강의 중요성 및 형평성 주장
- ▸ 건강을 위한 투자
- ▸ 건강증진을 위한 역량 함양
- ▸ 규제 및 법규 제정
- ▸ 건강을 위한 파트너십 및 연대구축

(7) 제7차 건강증진을 위한 국제회의 – 나이로비(Nairobi)

① 케냐의 나이로비에서 개최(2009년 10월)

② 주제: 수행역량 격차 해소를 통한 건강증진과 개발 강조

(8) 제8차 건강증진을 위한 국제회의 – 헬싱키(Helsinki)

① 핀란드의 헬싱키에서 개최(2013년 6월)

② 주제: Health in all policy(모든 정책에서 건강을) 강조

(9) 제9차 상하이 국제회의 – 상하이(Shanghai, 2016)

① 지속가능개발 목표에 있어서의 건강증진: 모든 사람에게 건강을, 모든 것은 건강을 위해 + 건강도시

4) 우리나라 건강증진사업

(1) 명칭

제5차 국민건강증진종합계획(Health Plan 2030)

(2) Health Plan 2030 기본틀

① 비전: 모든 사람이 평생건강을 누리는 사회

▸ SDGs(지속가능발전 기본계획) 등 국제동향에 맞추어 적용대상 확대: 온 국민 → 모든 사람

▸ 전 생애주기에 걸친 건강권으로 '평생 건강'을 명시

② 목표: 건강수명연장, 건강형평성 제고

③ 중점과제

중점과제	사업분야
건강생활 실천	금연 절주, 영양, 신체활동, 구강건강
정신건강 관리	자살예방, 치매, 중독, 지역사회 정신건강
비감염성질환 예방관리	암, 심뇌혈관질환(고혈압, 당뇨), 비만
감염 및 환경성질환 예방관리	감염병 예방 및 관리(결핵 · 에이즈, 의료관련감염, 손씻기 등 포함), 감염병 일기대비대응(검역 감시 예방접종 포함), 기후변화성 질환(미세먼지, 폭염, 한파 등)
인구집단별 건강관리	영유아, 청소년(학생), 여성(모성, 다문화 포함), 노인, 장애인, 근로자, 군인
건강친화적 환경 구축	건강친화적 법제도 개선, 건강정보 이해력 제고, 혁신적 정보기술의 적용, 재원마련 및 운용, 지역사회지원(인력시설) 확충 및 거버넌스 Health 구축

part 02

역학과 질병관리

제4장 역학

1. 역학의 이해

1) 역학의 개념

질병의 원인을 규명하는 학문으로 인간 집단을 대상으로 질병의 발생, 분포 및 경향 등을 파악하고 분포양상을 결정하는 원인을 연구하며 예방대책을 수립하는 학문

2) 역학의 목적

① 질병 예방을 위하여 질병발생의 원인 규명(역학의 가장 중요한 역할)
② 질병의 측정과 유행발생의 감시 역할
③ 질병의 기술적 역할
- ▶ 자연사에 관한 기술
- ▶ 건강수준과 질병양상에 대한 기술
- ▶ 인구동태에 관한 기술
- ▶ 보건지수 개발 및 계량치에 대한 정확도와 신뢰도의 검증

④ 보건사업의 기획과 평가를 위한 자료 제공
⑤ 임상연구 분야에 활용

3) 역학의 역사적 사례

J.Snow의 콜레라 역학조사 (기술역학)	1854년 영국 런던에서 일어났던 콜레라 감염을 조사한 스노우는 지리학적 프로파일링을 사용하여 321개의 감염지역 내 13개의 공동우물 위치를 조사했다. 그 결과, 감염의 원인이었던 브로드 거리 공동우물은 프로파일 상에서 0.2%의 최상위에 위치하고 있었다. 많은 반대가 있었지만 공동우물을 철거하였는데, 그 결과 콜레라 환자 발생이 격감했으며, 그 공동우물이 부근 주택의 화장실과 통해 있었다는 사실이 후에 밝혀져서 콜레라 역학연구는 역학의 역사를 고찰하는데 있어서 중요한 계기를 마련했다고 평가된다.
J.Goldberger의 Pellagra 역학조사 (실험역학)	Pellagra라는 질병은 나병의 일종으로 알려져 200여 년간 전염성 질환으로 취급되어 오다가 1914년 Goldbeger에 의해 Pellagra는 동물성 단백질에 내포된 niacin(nicotinic acid)의 결핍에 의한 병임이 밝혀졌다. Goldbeger는 심각한 Pellagra 환자 중 피해가 큰 고아원, 정신병원 등을 방문조사했는데 의료인은 한 사람도 Pellagra 환자가 없어 질병의 원인이 전염병이 아니고 '영양결핍'이라고 의심하면서 실험역학조사를 했다. 죄수들에게 동물성 단백질이 없는 식사를 제공하여 인위적으로 Pellagra 환자를 만드는데 성공하였고, 그 결과 식사 시 동물성 단백질의 결핍으로 Pellagra 증상이 나타나게 된다는 사실을 밝혀냈다.

Doll and Hill의 폐암과 흡연의 관련성 역학조사 (후향적코호트)	1950년에 발표한 영국의 연구자 Doll과 Hill은 영국인 의사들(남자 1,298명, 여자 120명)을 대상으로 한 역학연구에서 일반적으로 흡연자는 비흡연자에 비하여 폐암에 걸릴 위험이 14배 높다는 결론을 내렸다. Doll과 Hill은 1954년 재차 10년에 걸친 조사연구를 발표했는데, 하루 한 갑 이상 흡연자는 비흡연자에 비해서 폐암의 위험도가 30배이며, 하루 15개피 이하 흡연자는 7배에 달함을 보고하여 흡연이 폐암의 으뜸가는 원인이라는 사실을 명확히 확인하였다. 분석역학 방법 사용.

4) 역학적 인과관계(Hill's criteria, 1965)

① 시간적 선행관계: 원인으로 간주되는 요인에 대한 노출이 질병발생보다 선행

② 관련성의 강도: 반복관찰을 통해 확인된 관련성의 크기가 클수록 인과성의 가능성이 높음

③ 관련성의 일관성: 다른 대상이나 지역에서 같은 요인에 노출된 경우 같은 발병 결과를 보이는 것

④ 관련성의 특이성: 한 요인이 하나의 질병에만 관련성이 있는 것으로 확인된다면 특이성이 높은 인과관계로 설명

⑤ 용량 - 반응관계: 원인이 되는 요인에 노출 정도가 클수록 해당질병이 발생할 확률이 증가한다는 것

⑥ 개연성: 역학연구를 통해 확인된 관련성이 이미 알려져 있는 생물학적 지식과 부합할 때 인과관계가 있을 가능성 증가

⑦ 기존 지식과의 일치성: 이미 확인된 과학 분야의 지식과 일치할 경우 원인적 연관성 증가

⑧ 실험적 입증: 원인요인을 제거하거나 노출을 감소시킨 후 질병발생이 줄어든다면 인과 관계가 존재할 가능성이 높음

⑨ 유사성: 한 분야에서 보편적인 현상은 다른 분야에서 적용할 수 있다는 것

2. 질병발생이론

1) Abdel R. Omran의 역학적 변천설(Epidemiologic Transition)

(1) 질병과 기근시대(The Age of Pestilence and Famine)(1940년 이전)

① 풍토병의 높은 유병률, 만성적인 영양 부족

② 모성, 영유아 보건문제 심각

③ 환경문제: 불결급수, 오물처리, 곤충매개 질환, 주거환경 불결

④ 보건의료체제: 의료는 부적절하거나 전무한 상태

⑤ 전염병 발생 시 격리수단뿐

(2) 세계적 유행의 감축시대(The Age of Receding Pandemics)(1940 ~1970년 말)

① 농업 및 산업혁명 → 큰 사회적 · 환경적 변화 영향
② 생활수준 향상, 도시화, 근대화와 함께 교육수준 및 여성 지위 향상
③ 퇴행성 인조질환 시대(The Age of Degenerative and Man-Made Diseases)(1970년 말)
④ 선진국화, 산업화, 경제발전
⑤ 전염병 감소, 퇴행성 질환 증가

(3) 만성퇴행성 질환의 시대

① 경제발전과 함께 영양 결핍보다 과잉이 오히려 문제로 심화
② 암, 심장병, 뇌혈관질환, 당뇨병 및 고혈압 등의 만성퇴행성 질환이 인구집단의 주요 건강문제로 대두
③ 새로운 직업병과 환경오염 문제, 산업재해 발생이 만성퇴행성 질환으로 이어지는 사례가 증가
④ 사망률과 출생률은 더욱 낮아짐(소사소산).

(4) 지연된 퇴행성 질환의 시대

① 보건의료 발전으로 만성퇴행성 질환에 의한 고령층의 사망률이 급격하게 감소하면서 평균수명이 80세 내외가 되는 시기이며, HP2030의 건강 수명 목표는 73.5세임.
② 이 시기에는 고도로 발달된 의료기술로 인하여 사람들은 자신은 아프지 않을 것이라는 '자만의 시대'
③ 새로운 행태의 개인 생활습관 요인들이 사망에 영향을 줌.
④ 감염병은 감소하였으나, 후천성 면역결핍증과 같은 일부 감염병은 증가하고 있음.

(5) 새로 출현하는 감염병의 시대

① 신종과 재출현 감염병과 기생충병에 대한 대비와 대응을 중시해야 하는 시기
② 실제적으로 결핵 등 감염병과 기생충 질환이 다시 증가하고 있음.
③ 중증급성호흡기증후군, 에볼라바이러스, 지카바이러스, 중동호흡기증후군, 코로나바이러스 등 새로운 감염병이 발생하고 있음.

2) 질병발생의 역학적 요인

(1) 생태학적(역삼각형) 모형(Triangle model)

① 질병발생의 가장 기본적인 개념의 모형

② 질병발생: 병인, 숙주, 환경의 3대 요인의 상호관계에서 어떤 관계에 놓이느냐에 따라 질병발생 또는 건강의 유지를 결정

③ 생태학적 평형: 3대 요인이 동적인 평형을 이루지 않고 병인적 인자의 발생이 높아지 거나 숙주의 면역상태가 깨질 때, 환경이 변화할 때 질병이 발생

▸ 병인적 인자: 생물학적 인자(기생충, 바이러스, 세균, 곰팡이 등), 물리 · 화학적 인자(유독성 물질, 대기, 수질, 화상, 동상, 잠함병 등), 화학적 인자(살충제, 빙초산, 양잿물 등의 모든 유해물질이 호흡, 피부를 통해 신체 내 축적), 영양소 인자(영양소 결핍 또는 과잉으로 인한 질병), 사회환경 인자(직업병 등), 정신적 인자 등.

▸ 숙주적 인자(내적 요인): 신체적 특성, 정신적 특성, 인적 특성

▸ 환경적 인자(외적 요인): 생물학적 환경(병원소, 생물병원체, 매개체 등), 물리적 환경(기후, 계절 변화, 지형, 지질 등), 사회경제적 환경(인구분포, 밀도, 경제생활형태, 자연자원 등)

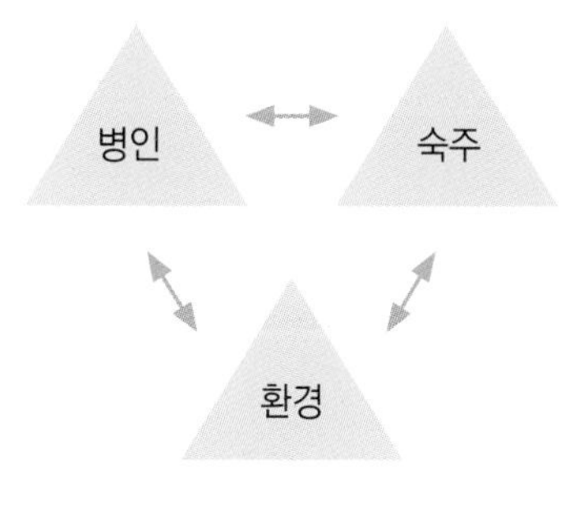

④ John Gordon의 Lever theory가 대표적이며 비감염성 질환이나 선천성 질환 등의 유전 소인이 있는 질병 설명에는 부적합

(2) 수레바퀴 모형(Wheel model)

① 숙주와 환경 사이의 관계를 나타내는 모형

② 질병발생: 숙주의 내적 요인(유전)과 숙주를 둘러싸고 있는 환경요인(생물학적, 물리 · 화학적, 사회적 환경)의 상호 작용에 의해서 질병이 발생. 질병발생요인을 알 수 있어 역학적 연구에 활용.

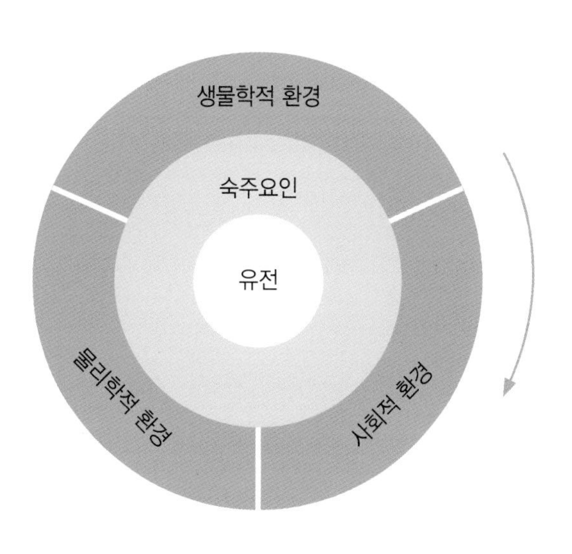

(3) 거미줄(원인망) 모형(Web of Causation)

① 질병발생: 어느 한 가지 원인에 의해 발생하는 것이 아니라 다원적 요인들이 다른 여러 형태의 요인들과 상호관계로 복잡하게 얽혀져 마치 거미줄 모형과 같은 복잡한 관계로 얽혀져 발생. 질병의 예방 대책 수립에 유리

3. 역학의 분류

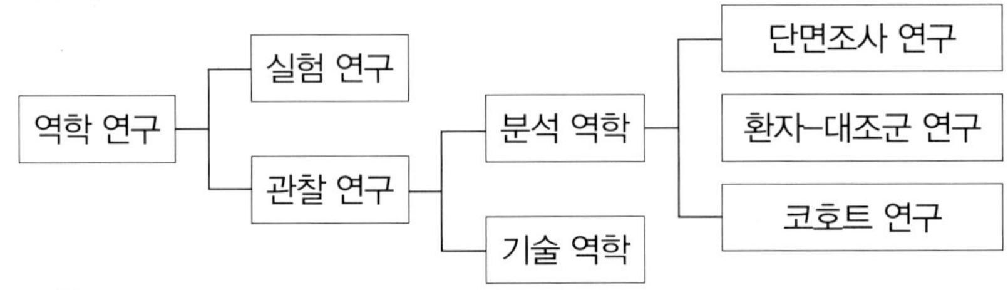

1) 기술역학

① 질병의 분포나 경향 등 건강 관련 사항을 있는 그대로 상황을 파악하여 기술하는 것
② 인간 집단에서 발생하는 질병의 발생에서부터 종결까지의 자연사를 인적, 지역적, 시간적 특성에 따라 기술하는 것이 기술 역학에서 가장 중요하게 다뤄지는 1단계 역학

(1) 인적 변수

연령별, 인종별, 성별, 사회경제적 상태, 종교별, 직업별 등 다양한 변수들

(2) 지역적 변수

① 범발성: 범세계적(AIDS, SARS, 신종플루, 인플루엔자, 충치 등)
② 유행성: 전국적(장티푸스, 콜레라 등)
③ 지방성: 토착적(간디스토마, 페디스토마, 풍토병 등)
④ 산발성: 사상충, 렙토스피라증

(3) 시간적 변수

① 추세변화: 장기변동, 10년 이상 주기(인플루엔자, 장티푸스, 디프테리아 등)
② 순환변화: 주기-단기변동, 10년 미만 주기(홍역, 백일해, 유행성 독감 등)
③ 계절변화: 1년 주기(소화기계 감염병-여름, 호흡기계 감염병-겨울)
④ 불규칙변화: 돌연유행, 외래감염병의 국내 침입(SARS, 조류인플루엔자, 신종플루, MERS 등)

2) 분석역학

① 기술역학의 정보들을 근거로 질병발생과 질병발생 요인들에 대한 가설을 세우고 분석하여 원인을 규명하는 것으로 **2단계 역학**이다.

② 단면조사 연구, 환자-대조군 연구(후향적 연구), 코호트 연구로 구분

(1) 단면조사 연구(Cross-sectional Study)

특정한 시점에서의 일정한 인구 집단을 대상으로 구체적 가설을 증명하기 위하여 각 질병을 조사하고 각 질병과 의심이 되는 요인과의 관련성을 보는 연구

Check Point.

장점	• 비교적 단기간 내에 결과를 얻을 수 있다. • 경제적이다. • 연구 시행이 코호트 연구에 비해 쉽다. • 질병의 유병률을 구할 수 있다. • 가설검증에 도움이 된다. • 동시에 여러 질병과 발생 요인과의 관련성을 조사할 수 있다. • 상대위험도 추정이 가능하다.
단점	• 상관관계는 파악할 수 있으나 인과관계를 규명하지는 못한다. • 예측력이 낮다. • 빈도가 낮은 질병에는 적합하지 않다. • 이환 기간이 짧은 질병(급성 감염병 등)에는 하기 어려운 연구이다. • 대상 인구집단이 비교적 커야 한다. • 질병 발생의 복합요인 중 원인요인만을 찾기 어렵다.

(2) 환자-대조군 연구(Case-control Study)(후향적 연구, 기왕 조사)

① 연구하고자 하는 특정 질병에 이환된 환자군과 그렇지 않은 대조군을 선정하여 질병에 이환되기 전 과거에 특정 위험요인에 얼마나 노출(폭로)되었는지 조사하여 그 위험요인에 대한 질병 발생 원인 정도를 확인하는 연구

② 교차비(Odds ratio)를 계산하여 연구의 자료를 분석하며, 교차비가 클수록 환자군의 위험요인에 노출(폭로)된 경우가 대조군보다 크다는 의미이고(따라서 위험요인으로 질병이 발생하였다는 증거), 1에 가까울수록 환자군과 대조군의 위험요인에 노출(폭로)된 경우가 비슷하다는 의미로 볼 수 있음.

Check Point.

장점	• 대상자가 적어도 연구가 가능하다. • 시간, 경비, 노력이 적게 든다. • 연구 시행이 쉽다. • 연구결과를 비교적 빠른 시일 내에 얻을 수 있다. • 기존자료 활용이 가능하다. • 희귀 질병, 만성 질환, 잠복기간이 긴 질병의 연구 가능하다. • 중도탈락의 위험이 없다.
단점	• 대조군 선정이 어렵다. • 과거의 정보가 연구에 활용되어 편견이 발생하거나 정확도와 신뢰도에 문제가 발생할 수 있다. • 위험도 산출이 불가능하다. • 일반화가 어렵다. • 인과관계의 질을 확인하기 어렵다.

(3) 코호트 연구(Cohort Study)(전향적 코호트 연구)

① 코호트(Cohort): 동일한 특성을 갖는 어떠한 그룹

② 코호트 연구: 연구하고자 하는 질병에 이환되지 않는 건강한 사람들을 대상으로 특정 위험요인에 노출(폭로)된 집단과 그렇지 않은 집단으로 나누어 추적관찰을 통하여 두 집단의 질병 발생률을 비교, 분석하며 조사하는 연구

TIP!

후향적 코호트연구

이미 있는 과거자료를 이용하여 과거의 관찰시점으로 돌아가서 그 시점으로부터 연구시점까지 기간을 조사하는 방법으로 특정 위험요인에 노출(폭로)된 집단과 그렇지 않은 집단을 대상으로 한다.

③ 상대위험도(비교위험도)를 계산하여 연구의 자료를 분석하며, 상대 위험도가 1보다 클수록 위험요인에 노출(폭로)된 집단의 건강문제 발생 확률이 그렇지 않은 집단의 확률보다 크다는 의미이고(따라서 위험요인이 질병의 원인이라는 증거), 비교위험도가 1이라는 것은 위험 요인에 노출(폭로)된 사람 중에서 질병이 발생하는 비율이나 비폭로된 사람 중에서 질병이 발생할 비율이 같다는 의미

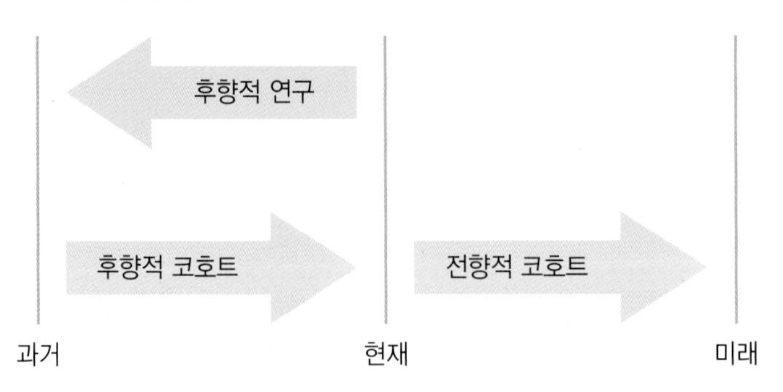

✓ Check Point.

장점	• 편견이 비교적 적으며 신뢰도가 높은 고급 자료를 얻을 수 있다. • 질병 발생의 위험률, 발병률, 시간적 속발성등을 정확히 파악할 수 있다. • 인과관계를 정확히 파악할 수 있다. • 한번에 여러 가설을 검증할 수 있다. • 다른 질환과의 관계 검증이 가능하다.
단점	• 발생률이 낮은 질병에는 비효율적이다. • 시간, 비용, 노력이 많이 든다. • 장기간 관찰해야 하며 대상자가 많아야 한다. • 연구 대상자가 중도 탈락될 수 있어 정확도에 문제가 발생할 수 있다. • 연구 대상자가 연구 사실을 알게 되어 결과에 영향을 미칠 수 있다. • 진단방법, 기준 등의 변동이 가능하다. • 연구자의 잦은 변동으로 연구에 차질이 생길 수 있다. • 희귀질환에는 부적합하다.

3) 이론역학(수리적 역학)

① 질병발생 양상에 관한 모형을 설정하고 실제 결과와 설정된 이론을 수리적 분석을 통하여 그 타당성을 검증, 규명하는 3단계 역학

② 감염병 발생이나 유행 예측에 활용

4) 실험역학(임상실험, 지역사회실험)

① 어떤 역학적 사실의 검증을 위해 대상 요인들을 실험적인 방법에 의해 인위적으로 투여하고 그 결과를 측정하여 역학적 원인의 규명에 있어서 신뢰도나 정확도를 높이기 위한 방법. 하지만 비용이 많이 들고 동물의 임상실험에 대한 윤리적 갈등의 단점이 존재

TIP!

1. 맹검법(단순맹검법, 이중맹검법, 삼중맹검법)
2. 무작위추출할당
3. 위약법

5) 작전역학(평가역학)

① 보건사업에 대한 계획부터 수행 후의 결과까지 평가하여 보건사업의 향상을 도모하기 위한 방법

② 보건서비스를 포함한 지역사회 서비스에 관한 계통적 연구를 의미하며 보건사업의 평가에 활용

③ Omran에 의해 개발

4. 질병발생의 빈도 및 위험도

1) 질병발생 빈도

(1) 비율

① 발생률: 특정 질병 발생 위험성이 있는 집단에서 특정 기간 동안 발생한 새로운 질병의 사례 수를 의미(동태통계), 급성질환에서 유용

② 유병률: 어느 시점 또는 일정 기간 동안 어느 지역 내에 존재하는 전 인구 중에 질병에 이환된 환자의 발생 빈도(정태통계) 발생률과 유병률

- ▸ 유병률 = 발생률×이환기간
- ▸ 유병률은 발생률과 이환기간에 영향을 받음
- ▸ 유병률의 변화는 발생률 또는 결과변화에 영향을 받음
- ▸ 만성질병: 이환기간이 길기 때문에 발생률에 비해 유병률이 높음
- ▸ 급성 감염병: 발생률은 높더라도 이환기간이 짧아 유병률은 낮음
- ▸ 급성 감염병과 같이 유행 기간이 매우 짧을 경우에는 유병률과 발생률이 비슷

③ 발병률: 어느 질환의 발생이 일정기간에 한정되어 있을 때 전 인구 중에 질병에 새로 이환된 환자의 발생 빈도

④ 치명률: 특정 질병에 이환된 환자 중에서 사망한 자의 비율을 나타내는 지표로 급성질환에 있어서는 치명률 산출은 어렵지 않지만 만성질환에서는 정확한 수치를 얻기 어려움.

⑤ 사망률: 전인구에 대한 일정 기간 내(보통은 1년)의 사망자가 차지하는 비율

(2) 신뢰도

① 신뢰도: 동일한 대상에 대하여 동일한 방법으로 측정을 반복할 때 얼마나 일치하는 값을 얻을 수 있는가의 정도

② 반복성, 재현성, 정밀성

③ 측정결과의 총 분산에 대하여 참값 변량의 비율로 표시되면 0~1 사이의 값을 가지게 됨.

(3) 정확도(타당도)

① 정확도(타당도)는 측정하려는 것을 제대로 측정하고 있는지에 대한 측정의 정확성을 의미

② 정확도(타당도) 측정: 민감도(감수성), 특이도, 예

TIP!

1. 민감도(감수성): 확진된 검사방법을 가진 질병에 걸린 환자를 환자로 확인할 수 있는 능력
2. 특이도: 질병에 걸리지 않은 사람을 환자가 아닌 것으로 확인할 수 있는 능력
3. 예측도: 검사결과 양성인 사람들 중 질병자수 또는 검사결과 음성인 사람들 중 건강한 사람의 수의 비율
   - 양성예측도: 질병에 대해 양성으로 판정받은 사람 중에 실제 양성으로 판정될 확률
   - 음성예측도: 질병에 대해 음성으로 판정받은 사람 중에 실제 음성으로 판정될 확률

측도 → 민감도, 특이도, 예측도 모두 높을수록 검사결과가 정확함.

③ 신뢰도와 정확도(타당도)의 관계: 신뢰도와 정확도(타당도) 모두 높은 관계가 가장 바람직함.

④ 위양성도: 의양성, 실제 질병이 없음에도 양성 판정을 받은 사람

⑤ 위음성도: 의음성, 실제 질병이 있음에도 음성 판정을 받은 사람

2) 질병발생 위험도

위험요인에 대한 노출	환자군 (질병 발생)	대조군 (질병 발생하지 않음)	계
폭로	a	b	a+b
비폭로	c	d	c+d
계	a+c	b+d	a+b+c+d

(1) 교차비(Odds ratio)

① 환자군-대조군 연구에서 사용되는 것으로 질병 발생률이 매우 낮은 경우에 상대위험비를 대신하여 교차비를 사용

② 교차비(Odds ratio)

$$= \frac{\text{유질병자 위험인자 폭로군(a) / 유질병자 위험인자 비폭로군(c)}}{\text{무질병자 위험인자 폭로군(b) / 무질병자 위험인자 비폭로군(d)}}$$

▶ 교차비 = 1.0 환자군이 위험요인에 노출된 경우와 대조군이 위험요인에 노출된 경우가 같다는 의미로, 즉 건강문제의 원인이 위험요인이라고 하기 어려움.

▶ 교차비 〉 1.0 환자군의 위험요인 노출 경우가 대조군보다 크다는 의미로, 즉 위험요인으로 건강문제가 발생함.

▶ 교차비 〈 1.0 대조군의 위험요인 노출 경우가 환자군 보다 크다는 의미로, 즉 위험요인에 대한 노출이 질병의 예방 효과를 의미함.

(2) 상대위험도(비교위험도, Relative Risk)

① 위험요인에 폭로된 사람이 질병에 걸릴 위험도가 폭로되지 않은 사람이 질병에 걸릴 위험도보다 몇 배나 더 높은지를 나타내는 것. 이 비가 클수록 폭로된 요인이 질병으로 작용할 가능성이 커짐.

② 상대위험도(RR)

$$= \frac{\text{폭로군에서의 질병 발생률}}{\text{비폭로군에서의 질병 발생률}} = \frac{a/(a+b)}{c/(c+d)} = \frac{a(a+d)}{c(a+b)}$$

- ▸ 상대위험비 = 1.0 폭로군과 비폭로군에서의 질병위험이 동일
- ▸ 상대위험비 〉 1.0 폭로군에서의 질병 발생위험이 더 큼.
- ▸ 상대위험비 〈 1.0 폭로군에서의 위험이 더 낮음.

③ 코호트 연구 자료 분석에 주로 사용

(3) 귀속위험도(기여위험도, Attributable Risk)

① 위험요인이 질병발생에 얼마나 기여했는지 위험요인에 의해 초래되는 결과의 위험도를 측정하는 방법

② 위험에 노출된 집단의 질병 발생률과 그렇지 않은 집단의 질병 발생률의 차이를 구하는 것

③ 귀속위험도(AR)

(폭로군에서의 질병 발생률 – 비폭로군에서의 질병 발생률)

④ 귀속위험도 백분율(AF)

$$= \frac{\text{폭로군에서의 질병 발생률} - \text{비폭로군에서의 질병 발생률}}{\text{폭로군에서의 질병 발생률}} \times 100$$

또는

$$= \frac{\text{상대위험도} - 1}{\text{상대위험도}} \times 100$$

(4) 조율(Crude rate)

① 일정기간 동안 인구집단 전체에서 실제로 발생한 수를 나타내는 지표

② 전체 모집단 중 사건의 비율을 의미

(5) 특수율(specific rate)

비슷한 특성을 지닌 소집단별(성, 연령, 질병, 학력 등)로 나누어 상태를 비교

(6) 표준화율(standardized rate) – 직접표준화, 간접표준화

비교하고자 하는 집단 간의 인구집단 특성의 차이를 보정하고 같은 조건으로 만들어 비교 가능하게 하는 방법을 표준화(standardization)라고 하며, 이러한 비교 목적으로 사용하는 계측치를 표준화율(standardized rate) 또는 보정율(adjusted rate)

직접표준화 (direct method)	두 개 이상이 지역사회를 비교할 때 표준이 되는 인구집단을 선정한 후, 각 지역의 연령별 사망률 혹은 발생률은 표준인구에 적용하여 비교하고자 하는 각 지역의 사망수 혹은 발생 수를 계산함으로써 두 지역을 비교하는 방법
간접표준화 (indirect method)	두 개 이상 집단의 연령별 특수사망률을 알 수 없거나 대상 인구수가 너무 적어서 안정된 연령별 특수사망률은 구할 수 없는 경우에는 간접 표준화 방법을 사용함

제5장 감염병 관리

1. 감염병의 이해

1) 감염

병원성 미생물이 숙주의 조직에 침입하여 증식하는 상태로 항원-항체 반응을 유발하여 숙주의 정상적인 생리상태를 변화시켜 이상 상태를 나타내는 과정

2) 감염 요소 인자

감염성 병인, 감수성 있는 숙주, 환경의 3가지 요인

3) 감염의 경로

① 음식의 섭취, 호흡에 의한 흡입, 타인과의 접촉 등 다양하며 모든 감염병이 전염성 있다고 할 수는 없음.

② 인체에 병원체가 침범하였을 때 대부분 면역체계로 인해 발병 이전에 퇴치하지만 면역체계가 약화되었을 경우, 병원체의 독성이 강한 경우, 대량의 병원체에 노출되는 경우 등에서 감염이 됨.

③ 감염 과정: 잠재기 → 잠복기 → 감염기 → 세대기 → 발병기

- 잠재기: 병원체의 침입으로 감염이 시작된 후부터 해당장기로 이동하여 증식하기까지의 기간을 의미하며 이 기간 동안에는 인체내에서 균이 발견되지 않음.
- 잠복기: 병원체의 침입 시작부터 증상이 나타나는 발병까지의 기간을 의미 일반(일반적으로 잠재기보다 길다.)
- 감염기: 병원체의 침입 시작부터 배출이 끝날 때(감염력이 끝날 때) 까지의 기간을 의미
- 세대기: 숙주로부터 병원체 배출이 시작되어 끝날 때까지의 기간으로 다른 숙주에 감염을 가장 많이 일으킴.

4) 감염의 분류

① 불현성 감염: 감염되었지만 임상적인 증상이 전혀 나타나지 않는 상태

Check Point.

> **불현성 감염의 역학적 중요성**
> 1. 숙주활동의 제한이 없어 감염전파 가능성이 커진다.
> 2. 현성 감염자보다 많아 질병의 규모나 발생 정도를 파악하기 어렵다.

② 잠복 감염: 감염되었으나 인체 면역력과 평형 상태이고, 균은 천천히 증식하고 오랫동안 임상 증상이 나타나지 않는 상태

③ 현성 감염: 감염되어 임상적인 증상이 나타나는 상태

④ 혼합 감염: 2종 이상의 병원균이 인체에 침입한 상태

⑤ 자가 감염: 본인이 가지고 있는 병원균에 의해 자신이 다시 감염되는 상태

⑥ 감염병: 여러 병원체가 숙주의 몸 안에 들어가 증식하여 손상되어 질병의 증후가 나타나는 상태

2. 감염병의 유행

1) 유행조사

(1) 유행의 정의(미국보건협회)

① 주어진 인구집단(지역사회)에서

② 비교적 짧은 기간에(상대적인 개념으로)

③ 임상적 특성이 비슷한 증후군이(원인이 동일하리라는 가정)

④ 통상적으로 기대했던 수(토착성 발생수준) 이상으로 발생하는 것

(2) 유행조사(=역학조사)

질병 유행의 대상 및 유행 규모를 파악하고 그 원인을 밝혀 필요한 조치를 수행하여 유행을 종식시키고, 유행의 재발 예방을 위한 대책 수립에 활용하기 위해 수행되는 모든 활동

(3) 유행조사의 목적

현사태가 유행인지 아닌지 판단하여 유행일 경우에는 이 감염병의 확산을 즉각 방지할 수 있는 대책을 마련하는 것

(4) 유행조사의 기본 단계

① 유행의 확인과 크기 측정

▸ 유행의 크기 혹은 규모를 추정하고 얼마나 신속한 조치가 필요한지를 결정함
▸ 수집한 정보를 토대로 해당 질병의 자연사를 정리
▸ 평균 잠복기 등 측정 가능한 자연사 관련 변수들을 측정
▸ 원인을 밝히기 위하여 가능한 모든 가검물을 채취하여 분석하고 보관하는 일도 중요

② 유행질환의 기술역학적 분석
▸ 유행의 시간적 특성에 대한 기술: 유행곡선의 작성
– 해당 질병의 잠복기 분포, 최단 잠복기와 평균 잠복기, 최장 잠복기 확인
– 잠복기 분포를 이용하여 병원체 종류 추정
– 잠복기 본포를 이용하여 공동노출일이 언제인지 추산
– 전파 양식 추정(공동매개 전파, 사람간 전파 등)
– 단일 노출인지 다중 노출인지 파악
– 2차나 3차 유행 여부 확인
– 유행규모 파악
– 향후 유행의 진행 여부와 규모 예측
▸ 유행의 공간적 특성에 대한 기술: 점지도
▸ 유행의 인적 특성에 따른 기술: 성별, 연령별, 사회경제상태별, 직업별 발생률을 비교하는 것

③ 유행 원인에 대한 가설 설정
▸ 기술역학적 연구를 토대로 가능성이 높은 병원체, 병원소, 감염원, 전파 양식 등에 대한 가설을 세움.
▸ 가설유도 방법: 공통성의 법칙, 차이성의 법칙, 동시 변화성의 법칙, 유사성의 법칙

④ 분석역학적 연구를 통한 가설 설정
▸ 후향적 코호트연구와 환자–대조군연구가 대표적인 역학조사방법임.

⑤ 유행관리 사업평가와 커뮤니케이션
▸ 구체적 예방법과 관리방법을 결정하여 수행한 후에는 반드시 관리방법의 효과를 판정하여야 함.

2) 감염병의 유행 요인

① 감염원: 감염을 유발하는 병원체를 가지고 있는 병원소와 오염식품 등
② 감염경로: 감수성 있는 숙주에게 감염원에서 병원체가 운반되는 과정
③ 숙주의 감수성: 병원체에 대항하여 감염을 저지할 수 없는 상태를 의미하며 숙주의 감수성이 높을 때 감염병 유행하고 숙주의 면역성이 높을 때 감염병 발생이 어려워짐.

3. 감염병의 생성 6요소

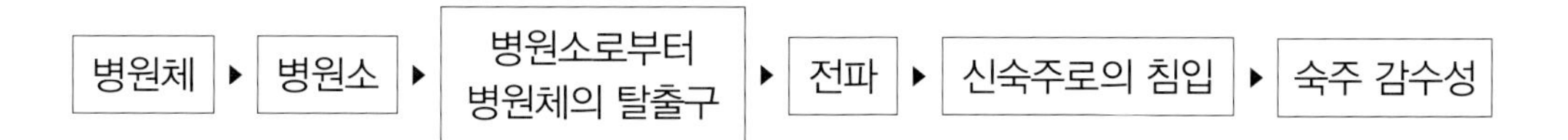

▶ 감수성 6개의 요소가 연쇄적으로 작용하며, 이 중 어느 한가지라도 결여되면 감염병은 발생하지 못함.

1) 병원체

숙주로 침입하여 질병을 일으키는 데 필요한 미생물로 생체 밖에서 오랫동안 생존, 번식 불가능함.

(1) 병원체의 종류

구분	내용
세균(박테리아)	• 육안으로 관찰할 수 없는 하등한 미생물 • 장티푸스, 파라티푸스, 디프 테리아, 백일해, 성홍열, 성병, 결핵, 폐렴, 콜레라 등의 질병 유발
바이러스	• 병원체 중 가장 작은 미생물, 광학현미경으로 관찰 불가능하며 전자현 미경으로만 볼 수 있다. • 핵산과 단백질만을 갖고 살아있는 숙주에 의존 하여 살아가며 세균여과막을 통과하는 여과성 병원체 • 홍역, 유행성 이하선염, 두창, 수두, 풍진, 폴리오, 유행성 간염, 광견병, B형 간염, C형 간염, 황열, 에이즈. 일본뇌염 등의 질병 유발
기생충	• 회충, 흡충, 촌충 등 • 아메바성 이질, 말라리아가 대표적인 기생충에 의한 질병
진균	• 광합성을 하지 않으며 운동성이 없는 아포형성 생물 • 무좀, 진균증 등 의 피부병 유발
리케치아	• 살아 있는 세포 안에서만 기생하는 특성을 갖고, 세균과 바이러스의 중간 크기 • 발진티푸스, 발진열, 쯔쯔가무시병, 록키산홍반열, Q열 등의 질병 유발

(2) 병원체의 감염력, 병원성, 병독력

① 감염력(감염성): 병원체가 숙주에 침입하여 알맞은 기관(숙주의 표적장기)에 자리잡고 증식할 수 있는 능력

② 병원력(병원성): 감염된 숙주로 하여금 병원체가 질병을 일으키는 능력으로 현성 증상의 발현 정도를 의미

③ 독력: 임상적으로 중독한 질병을 일으키는 능력으로 현성 감염으로 인한 사망이나 후유증을 나타내는 정도를 의미하며 독력 평가 지표는 치명률

▸ 독력(병독성)

$$= \frac{\text{중환자 수+사망자 수}}{\text{발병자 수}}$$

▸ 치명률: 질병에 걸려 일정기간 내에 사망하는 비율

$$= \frac{\text{사망자 수}}{\text{발병자 수}} \times 100$$

TIP!

$$\text{감염성} = \frac{\text{불현성감염자 수+현성감염자 수}}{\text{감수성자 총 수}}$$

TIP!

$$\text{병원성} = \frac{\text{환자 수}}{\text{감염자 수}}$$

2) 병원소

병원체가 생존하고 증식하면서 다른 숙주에게 전염될 수 있는 상태로 저장되는 장소

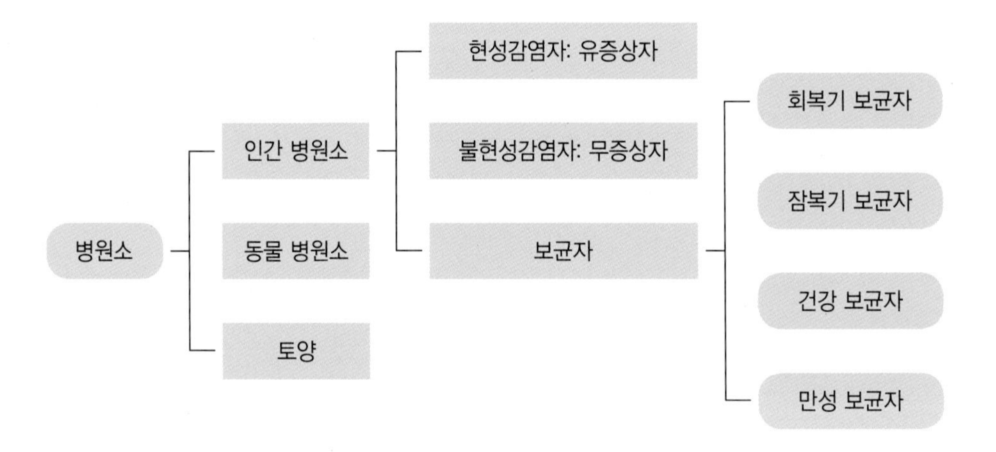

(1) 인간 병원소

① 보균자

▶ 임상증상이 전혀 없는 병원체 보유자

▶ 감염병 관리 대상으로 역학적으로 중요한 병원소

▶ 전파의 기회가 많고, 활동 제약이 없어 감염시킬 수 있는 영역이 넓으며, 현성 환자보다 많아 역학적으로 중요

② 현성 감염자: 환자, 병원체에 감염되어 임상증상이 있는 사람(환자)

③ 불현성 감염자: 임상증상이 없거나 미약하지만 병원성 미생물이 증식하여 면역학, 미생물학적 검사로 발견 가능한 상태(무증상 감염자)

TIP!

보균자 종류

1. 회복기 보균자: 병후 보균자, 임상증상이 완전히 없어졌으나 병원체를 배출하는 보균자(세균성이질, 디프테리아 등)
2. 잠복기 보균자: 발병 전 보균자, 잠복기간 중에 병원체를 배출하는 감염성을 갖는 보균자(디프테리아, 홍역, 백일해, 유행성 이하선염, 성홍열 등)
3. 건강 보균자: 병원체를 보유하는 보균자이지만 감염에 의한 임상증상이 전혀 없는 환자로 관리가 힘들다.(디프테리아, 폴리오, 일본뇌염 등)
4. 만성 보균자: 보균기간 3개월 이상 되는 보균자(장티푸스, 디프테리아, 결핵, B형 간염 등)

(2) 동물 병원소

척추동물이 병원체를 보유하여 사람에게 전파하여 감염을 일으키는 경우가 있는데 동물과 사람 간에 상호 전파되는 병원체에 의해 발생되는 감염병을 인수공통감염병이라고 함.

소	살모넬라증, 브루셀라증, 탄저, 우형결핵, 광우병, 보툴리즘 등
돼지	탄저, 살모넬라증, 브루셀라증, 렙토스피라증, 일본뇌염, 유구촌충, 선모충 등
쥐	발진열, 렙토스피라증, 페스트, 살모넬라증, 서교증, 와일씨병, 양충병 등
개	광견병, 톡소플라즈마증 등
고양이	서교증, 살모넬라증, 톡소플라즈마증 등
새	일본뇌염, 조형결핵 등
말	탄저, 살모넬라증, 일본뇌염 등

(3) 토양

진균류의 병원소로 작용하여 탄저, 파상풍, 렙토스피라증 등

3) 병원소로부터 병원체의 탈출구

(1) 호흡기계 탈출

① 병원체가 대화, 재채기, 기침 등을 통해 공중으로 배출되는 것

② 폐렴, 폐결핵, 홍역, 수두, 독감, 디프테리아, 발진티푸스 등

(2) 소화기계 탈출

① 주로 분변이나 구토물을 통해 병원체가 탈출하여 상하수도를 오염시켜 음식이나 음료수를 감염시키는 것

② 콜레라, 장티푸스, 파라티푸스, 이질, 콜레라 등

(3) 비뇨기계 탈출

① 소변이나 성기 분비물을 통해 나가는 것

② 임질, 매독 등의 성병

(4) 개방 병소로 탈출

① 피부 상처 부위에서 피부병, 농양 등의 병원체가 나가는 것

② 한센병, 파상풍, 트라코마 등

(5) 기계적 탈출

① 흡혈성 곤충에 의한 탈출과 주사기 등에 의한 탈출을 의미

② 발진티푸스, 발진열, 말라리아, 간염, AIDS 등

4) 전파

탈출한 병원체는 다른 숙주를 감염시켜야 성장 및 증식이 가능, 전파형태는 크게 직접전파와 간접전파로 구분

(1) 전파형태에 의한 분류

① 직접전파

- 병원체가 어떤 매개체 없이 숙주에서 다른 숙주로 직접 옮겨지는 것
- 다시 피부접촉, 점막접촉, 수직감염, 교상 등 직접접촉에 의해 전파되는 것과 환자나 보균자의 호흡기 비말전파와 같은 간접접촉에 의한 것으로 분류

분류	중분류	세분류	감염병
직접전파	직접접촉	피부접촉	피부탄저, 단순포진
		점막접촉	임질, 매독
		수직감염	선천성 매독, 선천성 HIV감염
		교상	공수병
	간접접촉	비말	인플루엔자, 홍역

② 간접전파

▶ 중간매개체를 통해 숙주로 전파되는 것

▶ 매개하는 물질에 따라 무생물매개전파와 생물매개전파로 구분

분류	중분류	세분류	감염병
간접전파	무생물매개전파	식품매개	콜레라, 장티푸스, A형감염
		수인성	콜레라, 장티푸스, A형감염
		공기매개	수두, 결핵
		개달물	세균성 이질
	생물매개전파	기계적 전파	세균성 이질, 살모넬라증
		생물학적 전파	말라리아, 황열

▶ 주요 매개생물과 관련된 감염병

매개생물	주요 감염병의 예
모기	말라리아, 사상충증, 일본뇌염, 황열, 뎅기열, 지카바이 러스감염증, 웨스트나일열, 치쿤구니야열
파리	장티푸스, 파라티푸스, 이질, 콜레라, 결핵, 수면병(체체파리)
쥐	렙토스피라증, 신증후군출혈열, 살모넬라증, 라싸열, 페스트, 서교열, 천열(이즈미열), 선모충증, 아메바성이질, 리슈 마니아증, 쯔쯔가무시증(들쥐 및 진드기 유충)
바퀴	장티푸스, 살모넬라증
쥐벼룩	페스트, 발진열(—오답유도: 빈대 — 질병매개 아님)
진드기류	쯔쯔가무시증(들쥐 및 진드기 유충), 재귀열(tick—borne relapsing fever), 록키산 홍반열, 라임병, 중증열성혈소판감 소증후군, 신증후군출혈열(좀진드기, 드물다)
이	발진티푸스, 재귀열(louse—borne relapsing fever), 참호열

▶ 생물학적 전파의 종류와 감염성 질병

종류	특징	감염성 질병(매개전파체)
증식형 (propagative T.)	매개곤충 내에서 단순히 병원체의 수만 증가	페스트(쥐벼룩), 일본뇌염(모기), 황열(모기)
발육형(cyclo-development T.)	매개곤충내 에서 수적 증식은 없지만 병원체가 발육하여 전파	사상충증(모기)
증식발육형(cyclo-propagative T.)	매개곤충 내에서 병원체가 증식과 발육을 형태	말라리아(모기), 수면병(파리)
배설형 (fecal T.)	매개곤충 내에서 위장관에 증식하여 대변과 함께 나와 숙주의 상처를 통해 전파	발진티푸스(이), 발진열(쥐벼룩)
경란형 (transoval T.)	병원체가 충란을 통해 전파하는 경우	재귀열(진드기), 록키산 홍반열(진드기)

(2) 전파방법에 의한 분류

종류	특징
전파방법	감염병
사람간 접촉에 의한 전파 (비말/비말핵 전파)	홍역, 풍진, 볼거리, 디프테리아, 인플루엔자, 감기, 수막구균감염증, 단순포진, 결막염, 결핵, 수두
식품 · 식수에 의한 전파	장티푸스, 이질, 콜레라, 유행성간염(A형간염), 장출혈성대장균감염증
곤충매개에 의한 전파	말라리아, 황열, 뎅기열, 일본뇌염, 쯔쯔가무시증
동물에서 사람으로 전파	광견병, 탄저병, 브루셀라증, 렙토스피라증
성적 접촉에 의한 전파	매독, 임질, 후천성면역결핍증(AIDS)

5) 신 숙주로의 침입

병원체의 탈출구와 신 숙주 침입구 대체로 공통 경로(경로가 다르면 침입 실패)

▶ 감염병의 탈출, 전파, 침입의 공통 경로

탈출	전파	침입	감염병
기도 분비물	직접전파(비말), 공기매개전파(비말핵), 매개물(옷, 침구 등)	기도	결핵, 홍역, 디프테리아, 인플루엔자
분변(feces)	음식, 파리, 손, 개달물	입	장티푸스, 소아마비, 콜레라, A형 간염
혈액	주사바늘	피부	AIDS, B, C형 간염, 말라리아, 일본뇌염, 황열, 뎅기열
	흡혈절족동물		
병변부위 삼출액	직접전파(성교, 손)	피부, 성기점막, 안구점막 등	단순포진, 임질, 매독

6) 숙주 감수성과 면역성

병원체가 숙주 내에 침입한다고 모두 감염되는 것은 아니고 숙주의 감수성과 면역성이 발병에 영향을 미침. 숙주의 면역성이 강하면 감염되지 않고 감수성이 강하면 감염이 됨.

(1) 감수성

숙주에 침입한 병원체의 감염을 받아들이는 상태, 즉 발병을 막을 수 없는 상태

Check Point.

숙주의 감염 지수, 감수성 지수, 접촉감염지수

1. De Rudder 는 급성 호흡기계 감염병에서 감수성 보유자가 감염되어 발병하는 율을 %로 표시하였다.
2. 홍역, 천연두(두창): 95% 〉 백일해: 60% 〉 성홍열: 40% 〉 디프테리아: 10% 〉 소아마비(폴리오): 0.1%

(2) 면역성

특정한 감염균에 대항하여 자기 몸을 방어하는 능력.

① 선천적 면역: 선천적으로 숙주가 갖고 있는 인종, 종족, 풍속, 개인적 특이성에 따른 저항력, 면역성

② 후천적 면역: 예방 접종이나 질병에 노출된 후에 형성되는 후천적 면역성

ⓐ 능동면역: 항원의 자극에 의해서 항체가 산출되는 것으로 숙주 스스로 면역체를 형성하는 방식(효과는 느리나 지속 기간은 길다.)

▶ 자연능동면역: 질병이환 후 자연적으로 형성된 면역

▶ 인공능동면역: 인위적으로 항원을 체내에 투입하는 예방접종 후 형성된 면역

자연능동면역 방법	예방해야 할 질병
현성 영구	두창, 홍역, 유행성이하선염, 백일해, 수두, 성홍열, 발진티푸스, 장티푸스, 황열, 페스트, 콜레라 등
불현성 영구	일본뇌염, 폴리오 등
약한 면역	인플루엔자, 세균성이질, 폐렴, 디프테리아, 수막구균성수막염 등
무 면역	말라리아, 매독, 임질, 트라코마 등

인공능동면역 방법	예방해야 할 질병
생균백신 (Living vaccine)	두창, 탄저, 광견병, 결핵, 황열, 폴리오, 홍역, 풍진, 일본뇌염, 유행성이하선염, 인플루엔자 등
사균백신 (Killed vaccine)	장티푸스, 파라티푸스, 콜레라, 백일해, 일본뇌염, 페스트, 폴리오, B형 간염 등
순화독소(Toxoid)	디프테리아, 파상풍 등

ⓑ 수동면역: 일시적으로 면역을 보유하는 것으로 이미 면역을 보유하고 있는 다른 사람이나 동물의 항체를 투여하는 방식(효과는 빠르고 지속 기간은 짧다.)

▶ 자연수동면역: 모체로부터 태반이나 수유를 통해 얻는 면역(홍역, 디프테리아, 폴리오 등)

▶ 인공수동면역: 인위적으로 항체를 투입하여 잠정적으로 질병에 방어할 수 있게 하는 면역(파상풍 항독소, B형 간염 글로불린 등)

4. 감염병의 예방과 관리

1) 감염병의 예방과 관리 3대 원칙

감염병 생성 6대요소	감염병 예방 및 관리 3대 원칙
① 병원체 ② 병원소	① 병원체와 병원소 관리
③ 병원소로부터 병원체의 탈출구 ④ 전파 ⑤ 신숙주로의 침입	② 전파과정 차단관리
⑥ 숙주감수성	③ 숙주관리

(1) 병원체와 병원소 관리

동물병원소의 살처분, 사람병원소의 격리 및 치료

(2) 전파과정 차단관리

① 병원소의 검역과 격리: 외래 감염병의 국내 침입 방지

✓ Check Point.

감염병	격리기간
콜레라	5일
페스트, 황열	6일
중증급성호흡기증후군(SARS), 동물인플루엔자 인체감염증	10일
중동호흡기증후군	14일
에볼라바이러스병	21일
신종인플루엔자	그 최대 잠복기이며, 검역전문위원회에서 결정
그 밖의 감염병이란 외국에서 발생하여 국내로 들어올 우려가 있거나 우리나라에서 발생하여 외국으로 번질 우려가 있어 질병관리청장이 긴급 검역조치가 필요하다고 인정해 고시하는 감염병	

② 감염력의 감소: 폐결핵환자에게 항결핵요법을 시행하는 등의 알맞은 치료로 감염력의 감소 가능

③ 환경위생관리: 살균, 소독, 매개곤충 등의 구제

(3) 숙주관리

① 숙주의 면역증강: 숙주의 면역력이 높을 때는 질병에 잘 안 걸리고 숙주의 감수성이 높을 때 질병에 걸리기 쉬우므로 면역력 증강을 위해 노력

ⓐ 특이적 면역: 감마글로불린, 면역혈청, 인공능동면역을 접종하여 면역력 증강

ⓑ 비특이적 면역: 적절한 운동, 수면, 영양관리 등으로 면역력 증강

② 환자조치: 이미 질병에 이환되는 환자에 대하여 조기 진단 및 조기 치료로 진단 시설의 제도화, 의료시설의 확충이 필요하며 지속적인 보건교육 실시 중요

2) 집단면역

(1) 개념

지역사회 또는 집단에 어떤 질병의 집단 저항성을 나타내는 것으로 그 지역사회 내의 지역주민이 획득한 면역을 의미

(2) 집단면역

$$= \frac{\text{면역체를 가지고 있는 사람}}{\text{인구 수}} \times 100$$

(3) 특징

① 지역사회나 집단에 흔한 질병일수록 집단면역이 커짐.

② 백신접종은 집단면역을 높이는 것

③ 유행이 한 번 일어나면 집단면역이 높아져 몇 년 동안은 유행이 발생하지 않음.

④ 한계밀도: 집단면역의 한계를 의미하며 면역이 없는 신생아 출생이 증가하거나 면역이 없는 외부 지역 사람이 그 지역사회나 집단으로 이주해 올 때 집단면역이 약해지다가 어느 한도 이하로 떨어지면 유행이 일어나는데 이런 한계를 의미(한계 밀도는 질병 종류에 따른 차이가 있다.)

⑤ 홍역, 백일해, 풍진 등의 질병은 주기적으로 3~4년마다 유행을 일으키며 이는 집단면역과 관련이 있음.

5. 법정 감염병

1) 법정 감염병의 개념

법정 감염병은 공중보건학적으로 발생과 유행을 방지하고 그 예방 및 관리를 위하여 필요한 사항을 법으로 규정, 관리하는 질병으로 환자 발생 시에 의무적으로 신고

2) 법정 감염병의 종류

구분	내용
제1급 감염병	생물테러감염병 또는 치명률이 높거나 집단 발생의 우려가 커서 발생 또는 유행 즉시 신고하여야 하고, 음압격리와 같은 높은 수준의 격리가 필요한 감염병
	에볼라바이러스병, 마버그열, 라싸열, 크리미안콩고출혈열, 남아메리카출혈열, 리프트밸리열, 두창, 페스트, 탄저, 보툴리눔독소증, 야토병, 신종감염병증후군, 중증급성호흡기증후군(SARS), 중동호흡기증후군(MERS), 동물인플루엔자 인체감염증, 신종인플루엔자, 디프테리아(17종)
제2급 감염병	전파가능성을 고려하여 발생 또는 유행 시 24시간 이내에 신고하여야 하고, 격리가 필요한 감염병
	결핵, 수두, 홍역, 콜레라, 장티푸스, 파라티푸스, 세균성이질, 장출혈성대장균감염증, A형간염, 백일해, 유행성이하선염, 풍진, 폴리오, 수막구균 감염증, B형헤모필루스인플루엔자, 폐렴구균 감염증, 한센병, 성홍열, 반코마이신내성황색포도알균(VRSA) 감염증, 카바페넴내성장내세균속균종(CRE) 감염증, E형간염 (21종)

제3급 감염병	발생을 계속 감시할 필요가 있어 발생 또는 유행 시 24시간 이내에 신고하여야 하는 감염병
	파상풍, B형간염, 일본뇌염, C형간염, 말라리아, 레지오넬라증, 비브리오패혈증, 발진티푸스, 발진열, 쯔쯔가무시증, 렙토스피라증, 브루셀라증, 공수병, 신증후군출혈열, 후천성면역결핍증(AIDS), 크로이츠펠트-야콥병(CJD) 및 변종크로이츠펠트-야콥병(vCJD), 황열, 뎅기열, 큐열, 웨스트나일열, 라임병, 진드기매개뇌염, 유비저, 치쿤구니야열, 중증열성혈소판감소증후군(SFTS), 지카바이러스 감염증 (26종)
제4급 감염병	제1급감염병부터 제3급감염병까지의 감염병 외에 유행 여부를 조사하기 위하여 표본감시 활동이 필요한 감염병
	인플루엔자, 매독, 회충증, 편충증, 요충증, 간흡충증, 폐흡충증, 장흡충증, 수족구병, 임질, 클라미디아감염증, 연성하감, 성기단순포진, 첨규콘딜롬, 반코마이신내성장알균(VRE) 감염증, 메티실린내성황색포도알균(MRSA) 감염증, 다제내성녹농균(MRPA) 감염증, 다제내성아시네토박터바우마니균(MRAB) 감염증, 장관감염증, 급성호흡기감염증, 해외유입기생충감염증, 엔테로바이러스감염증, 사람유두종바이러스 감염증 (23종)
기생충 감염병	기생충에 감염되어 발생하는 감염병 중 질병관리청장이 고시하는 감염병
	회충증, 편충증, 요충증, 간흡충증, 폐흡충증, 장흡충증, 해외유입기생충감염증 (7종)
세계 보건기구 감시대상 감염병	세계보건기구가 국제공중보건의 비상사태에 대비하기 위하여 감시대상으로 정한 질환으로서 질병관리청장이 고시하는 감염병
	두창, 폴리오, 신종인플루엔자, 중증급성호흡기증후군(SARS), 콜레라, 폐렴형 페스트, 황열, 바이러스성 출혈열, 웨스트나일열 (9종)
생물테러 감염병	고의 또는 테러 등을 목적으로 이용된 병원체에 의하여 발생된 감염병 중 질병관리청장이 고시하는 감염병
	탄저, 보툴리눔독소증, 페스트, 마버그열, 에볼라열, 라싸열, 두창, 야토병 (8종)
성매개 감염병	성 접촉을 통하여 전파되는 감염병 중 질병관리청장이 고시하는 감염병
	매독, 임질, 클라미디아, 연성하감, 성기단순포진, 첨규콘딜롬, 사람유두종바이러스 감염증 (7종)
인수공통 감염병	동물과 사람 간에 서로 전파되는 병원체에 의하여 발생되는 감염병 중 질병관리청장이 고시하는 감염병
	장출혈성대장균감염증, 일본뇌염, 브루셀라증, 탄저, 공수병, 동물인플루엔자 인체감염증, 중증급성호흡기증후군(SARS), 변종크로이츠펠트-야콥병(vCJD), 큐열, 결핵, 중증열성혈소판감소증후군(SFTS) (11종)
의료관련 감염병	환자나 임산부 등이 의료행위를 적용받는 과정에서 발생한 감염병으로서 감시활동이 필요하여 질병관리청장이 고시하는 감염병
	반코마이신내성황색포도알균(VRSA) 감염증, 반코마이신내성장알균(VRE) 감염증, 메티실린내성황색포도알균(MRSA) 감염증, 다제내성녹농균(MRPA) 감염증, 다제내성아시네토박터바우마니균(MRAB) 감염증, 카바페넴내성장내세균속균종(CRE) 감염증 (6종)

3) 법정 감염병의 신고 및 보고체계

(1) 의사 등의 신고

의사, 치과의사 또는 한의사, 의료기관의 장, 군부대장 → 보건소장(시 · 군 · 구) → 시 · 도지사 → 질병관리청장 (4급감염병은 제외)

① 감염병환자 등을 진단하거나 그 사체를 검안한 경우
② 예방접종 후 이상반응자를 진단하거나 그 사체를 검안한 경우
③ 감염병환자 등이 제1급감염병부터 제3급감염병까지에 해당하는 감염병으로 사망한 경우
④ 감염병환자로 의심되는 사람이 감염병 병원체 검사를 거부하는 경우

(2) 군 부대 신고 및 보고 체계

육군, 해군, 공군 또는 국방부직할 부대에 소속된 군의관 → 소속 부대장 → 관할 보건소장에게 지체 없이 보고(제4급 감염병 제외)

4) 관련 용어 정리

① 감염병환자: 감염병의 병원체가 인체에 침입하여 증상을 나타내는 사람으로서 법의 진단 기준에 따른 의사 또는 한의사의 진단이나 보건복지부령으로 정하는 기관의 실험실 검사를 통하여 확인된 사람
② 감염병 의사환자: 감염병 병원체가 인체에 침입한 것으로 의심이되나 감염병 환자로 확인되기 전 단계에 있는 사람
③ 병원체보유자: 임상적인 증상은 없으나 감염병 병원체를 보유하고 있는 사람

> **TIP!**
> **보건복지부령으로 정하는 기관**
> 1. 질병관리본부
> 2. 국립검역소
> 3. 보건환경연구원
> 4. 보건소
> 5. 의료법에 따른 의료기관 중 진단 검사의학과 전문의가 상근하는 기관
> 6. 의과대학
> 7. 대한결핵협회(결핵환자의 병원체를 확인하는 경우만 해당)
> 8. 한센병환자 등의 치료 및 재활을 지원할 목적으로 설립된 기관(한센병환자의 병원체를 확인하는 경우만 해당)

④ 감시: 감염병 발생과 관련된 자료 및 매개체에 대한 자료를 체계적이고 지속적으로 수집, 분석 및 해석하고 그 결과를 제때에 필요한 사람에게 배포하여 감염병 예방 및 관리에 사용하도록 하는 일체의 과정
⑤ 역학조사: 감염병환자, 감염병의사환자 도는 병원체보유자가 발생한 경우 감염병의 차단과 확산 방지 등을 위하여 감염병환자 등의 발생 규모를 파악하고 감염원을 추적하는 등의 활동과 감염병 예방접종 후 이상반응 사례가 발생한 경우 그 원인을 규명하기 위하여 하는 활동

⑥ 예방접종 후 이상반응: 예방접종 후 그 접종으로 인하여 발생할 수 있는 모든 증상 또는 질병으로서 해당 예방접종과 시간적 관련성이 있는 것

⑦ 고위험병원체: 생물테러의 목적으로 이용되거나 사고 등에 의하여 외부에 유출될 경우 국민 건강에 심각한 위험을 초래할 수 있는 감염병 병원체로서 보건복지부령으로 정하는 것

6. 신종 감염병

1) 신종 감염병의 개념

새로운 형태의 병원체 혹은 옛날부터 존재했지만 새로운 병원성을 획득했거나, 과거에 발생하지 않았던 새로운 지역 또는 새로운 종으로 전파되는 전염성 질환으로 기존에 알려지긴 했지만 최근 20여년 간 상당한 정도로 인간에게서 발병률이 증가한 질병

구분	대상질병
호흡기(4종)	중동호흡기증후군(MERS), 중증급성호흡기증후군(SARS), 동물인플루엔자 인체감염증, 신종인플루엔자
바이러스성출혈열(6종)	에볼라바이러스병, 마버그열, 라싸열, 크리미아콩고출혈열, 남아메리카출혈열, 리프트벨리열
생물테러(5종)	두창, 페스트, 탄저, 보툴리눔독소증, 야토병
기타(1종)	신종감염병증후군

2) 신종감염병의 출현에 기여하는 요인

사회적 상황	경제적 빈곤, 전쟁, 분쟁, 인구증가와 이주, 도시 슬럼화, 항공교통의 발달, 여행 증가, 교통과 교류의 증가
보건의료기술	새로운 의료장비, 조직/장기이식, 면역억제약물, 항생제 사용
식품생산	식품공급의 전 세계화, 식품가공과 포장의 변화
인간 생활습관	성 행태, 약물남용, 여향 식이 습관, 여가활동, 보육시설
환경 변화	삼림벌채/재 조림, 수자원 생태계 변화, 홍수/가뭄, 기근, 지구 온난화
공중보건체계	예방사업의 축소, 부적절한 감염병 감시체계, 전문요원의 부족
미생물의 적응과 변화	미생물의 독성 변화, 약제 내성 출현, 만성질환 공동인자로 미생물 출현

7. 예방접종

1) 필수예방접종

특별자치도지사 또는 시장, 군수, 구청장은 아래의 질병에 대하여 관할 보건소를 통하여 필수예방접종을 실시

Check Point.

필수예방접종 항목

디프테리아, 폴리오, 백일해, 홍역, 파상풍, 결핵, B형간염, 유행성이하선염, 풍진, 수두, 일본뇌염, b형헤모필루스인플루엔자, 폐렴구균, 인플루엔자, A형간염, 사람유두종바이러스 감염증, 그 밖에 질병관리청장이 감염병의 예방을 위하여 필요하다고 인정하여 지정하는 감염병

임시예방접종

- 질병관리청장이 감염병 예방을 위하여 특별자치도지사 또는 시장 · 군수 · 구청장에게 예방접종을 실시할 것을 요청한 경우
- 특별자치도지사 또는 시장 · 군수 · 구청장이 감염병 예방을 위하여 예방접종이 필요하다고 인정하는 경우

TIP!

필수예방접종 항목 중 고위험군 우선 접종하는 항목

- 장티푸스, 신증후군출혈열

(1) 영유아 기초접종 및 추가접종

p.59의 표준예방접종일정표 참고

(2) 성인 예방접종

<table>
<tr><th></th><th>19~29세</th><th>30~39세</th><th>40~49세</th><th>50~64세</th><th>65세 이상</th></tr>
<tr><td>파상풍, 디프테리아, 백일해</td><td colspan="5">10년마다 접종</td></tr>
<tr><td>인플루엔자</td><td colspan="5">매년 접종</td></tr>
<tr><td>A형간염</td><td>접종</td><td>항체 검사 후 접종</td><td colspan="3">고 위험군은 항체 검사 후 접종</td></tr>
<tr><td>B형간염</td><td colspan="3">접종력이 불확실할 때 항체 검사 후 접종</td><td colspan="2">고 위험군은 접종력이 불확실할 때 항체 검사 후 접종</td></tr>
<tr><td>홍역, 볼거리, 풍진</td><td colspan="2">고 위험군 접종</td><td colspan="3"></td></tr>
<tr><td>수두</td><td colspan="2">고 위험군은 항체 검사 후 접종</td><td colspan="3"></td></tr>
<tr><td>수막알균</td><td colspan="5">고 위험군 접종</td></tr>
<tr><td>폐렴사슬 알균</td><td colspan="4">고 위험군 접종</td><td>접종</td></tr>
<tr><td>대상포진</td><td colspan="3"></td><td colspan="2">60세 이상 접종</td></tr>
</table>

출처 : 대한감염학회

3) 기타 예방접종

기타 예방접종은 국가지원대상 외에 의료기관에서 받을 수 있는 예방접종(결핵(경피접종), 로타바이러스, 인유두종바이러스, 수막구균, 대상포진)

질병관리청 | KMA 대한의사협회 | 예방접종전문위원회

어린이가 건강한 대한민국

표준예방접종일정표(2022)

구분	대상 감염병	백신 종류 및 방법	횟수	출생~1개월이내	1개월	2개월	4개월	6개월	12개월	15개월	18개월	19~23개월	24~35개월	만4세	만6세	만11세	만12세
국가예방접종	결핵	BCG(피내용)[1]	1	BCG 1회													
국가예방접종	B형간염	HepB[2]	3	HepB 1차	HepB 2차			HepB 3차									
국가예방접종	디프테리아 파상풍 백일해	DTaP[3]	5			DTaP 1차	DTaP 2차	DTaP 3차		DTaP 4차				DTaP 5차			
국가예방접종	디프테리아 파상풍 백일해	Tdap/Td[4]	1													Tdap/Td 6차	
국가예방접종	폴리오	IPV[5]	4			IPV 1차	IPV 2차	IPV 3차						IPV 4차			
국가예방접종	b형헤모필루스인플루엔자	Hib[6]	4			Hib 1차	Hib 2차	Hib 3차	Hib 4차								
국가예방접종	폐렴구균	PCV[7]	4			PCV 1차	PCV 2차	PCV 3차	PCV 4차								
국가예방접종	폐렴구균	PPSV[8]	–										고위험군에 한하여 접종				
국가예방접종	홍역 유행성이하선염 풍진	MMR[9]	2						MMR 1차					MMR 2차			
국가예방접종	수두	VAR	1						VAR 1회								
국가예방접종	A형간염	HepA[10]	2						HepA 1~2차								
국가예방접종	일본뇌염	IJEV(불활성화 백신)[11]	5						IJEV 1~2차				IJEV 3차		IJEV 4차		IJEV 5차
국가예방접종	일본뇌염	LJEV(약독화 생백신)[12]	2						LJEV 1차				LJEV 2차				
국가예방접종	사람유두종바이러스 감염증	HPV[13]	2													HPV 1~2차	
국가예방접종	인플루엔자	IIV[14]	–					IIV 매년 접종									
기타 예방접종	로타바이러스 감염증	RV1	2			RV 1차	RV 2차										
기타 예방접종	로타바이러스 감염증	RV5	3			RV 1차	RV 2차	RV 3차									

제6장 급, 만성 감염병

1. 감염병의 종류

1) 급성 감염병

감염, 발병, 경과가 급격한 질병으로 소화기계, 호흡기계, 절지동물 감염병, 동물 매개 감염병 등이 이에 해당하고 발생률이 높고 유병률이 낮음.

2) 만성 감염병

증세, 경과가 완만한 질병으로 성병, 나병, 결핵, B형 간염 등. 병균이 감염된 후 잠복기가 길고 증상이 천천히 나타나 환자의 조기발견, 치료, 집단 건강검진이 중요하며 발생률이 낮고 유병률이 높음.

Check Point.

발생률과 유병률

1. 급성 감염병에서는 발생률이 높고 유병률이 낮다.
2. 만성 감염병에서는 발생률이 낮고 유병률이 높다.
3. 질병의 이환기간이 짧을 때 발생률과 유병률은 같다

2. 급성 감염병

소화기계 감염병	장티푸스, 파라티푸스, 콜레라, 세균성이질, 폴리오, 장출혈성대장균, A형간염
호흡기계 감염병	디프테리아, 백일해, 홍역, 유행성 이하선염, 풍진, 인플루엔자, 수두, 성홍열, b형헤모피루스인플루엔자 등
절지동물 매개 감염병	페스트, 발진티푸스, 일본뇌염, 말라리아, 유행성 출혈열, 쯔쯔가무시증, 발진열, 사상충증
동물 매개 감염병	탄저병, 공수병, 렙토스피라증, 브루셀라증

1) 소화기계 감염병

환자나 보균자의 분변으로 배설된 병원체가 물이나 음식물에 오염되어 경구적으로 침입하여 감염이 발생하는 수인성 감염병으로 환경위생 강화 중요

Check Point.

수인성 감염병 특징

오염수에 의한 감염으로 폭발적으로 환자수가 급증하며(2~3일 내로), 치명률 및 발병률이 낮다. 2차 감염 환자가 적고, 유행지역과 음료수 사용지역이 일치한다. 계절과 무관하게 발생하고, 가족 집적성은 낮다. 급수시설에서 오염의 원인이 나타나며 급수지역 내에서 환자가 발생한다.

(1) 장티푸스(제2급 감염병)

① 대표적 수인성 감염병으로 주로 환자나 보균자의 대소변에 오염된 물이나 음식물을 통하거나 곤충매개로 전파

② 병원체: Salmonella Typhi

병원소: 사람(환자, 보균자)

③ 잠복기: 1주~3주 전후

④ 감염부위: 신장, 담낭, 장의 림프조직 등

⑤ 증상: 발열, 복통, 기침, 두통, 식욕감퇴, 간과 비장의 비대, 서맥 등

⑥ 진단: Widal test

(2) 파라티푸스(제2급 감염병)

① 전파양식, 임상적, 병리학적으로 장티푸스와 비슷

치명률: 장티푸스 〉 파라티푸스(매우 낮음)

② 병원체: Salmonella Paratyphi A, B, C

병원소: 사람(환자, 보균자)

③ 증상: 발열, 설사, 두통 등 장티푸스와 유사한 증상

(3) 콜레라(제2급 감염병)

① 토사물에 의한 오염수, 대변, 오염 음식물 및 식기 등을 통해 전파

② 병원체: Vibrio Cholerae

병원소: 사람(감염자)

③ 잠복기 12~48 시간, 최장 5일

④ 증상: 구토, 심한 위장장애, 전신 증상, 쌀뜨물 같은 설사, 탈수 등

(4) 세균성 이질(제2급 감염병)

① 오염된 물이나 음식물이 전염원으로 분변으로 탈출하여 손이나 파리를 통해 음식물 등으로 경구 침입하여 전파

② 병원체: Shigella Dysenteriae, Sh. Flexneri, Sh. Boydii 등
병원소: 사람(감염자)

③ 잠복기 2~7 일

④ 증상: 구토, 설사, 발열, 대장 점막에 궤양성 병변 특징

(5) 폴리오(제2급 감염병), 소아마비

① 병원소의 배설물, 호흡기계 분비물 등을 통하여 탈출되어 오염된 음식물을 통해 경구 감염

② 병원체: Polio Virus(I, II, III 형)
병원소: 사람(대부분 불현성 감염자), 특히 어린이가 대부분

③ 예방접종 방법: 생후 2개월부터 2개월 간격으로 3회 실시, 추가접종은 18개월에 실시

④ 잠복기: 7~12일

⑤ 증상: 고열, 두통, 소화불량, 중추신경계 손상을 가하여 하지 마비 발생(감염자의 1% 이하)

⑥ 예방법: 최선의 방법은 예방접종

(6) 장출혈성대장균(제2급 감염병)

① 주로 덜 익힌 쇠고기나 갈아 만든 쇠고기 등 식품이나 물을 통하여 전파되며 사람 간의 직접전파로도 감염

② 병원체: Enterohemorrhagic Escherichia Coli 0-157
병원소: 가금류, 특히 소

③ 잠복기: 3~4일

④ 증상: 무증상 감염이 많으나 복통을 동반한 설사 발생(수양성 설사에서 혈성 설사로 발전)

⑤ 합병증: 용혈성 요독증후군(2~6%), 혈전성 혈소판 감소증(노인에게 주로 발생, 치명률 50%) 등

⑥ 예방법: 철저한 개인 위생 및 육류제품 충분히 가열하여 섭취, 가축 사육장에 대한 방역감시 및 육류 가공 처리과정에서 오염방지

(7) A형간염(제2급 감염병), 유행성 간염

① A형간염 바이러스에 오염된 식품이나 물을 통하여 감염

② 병원체: Hepatitis A Virus
병원소: 사람, 주로 20~30대

③ 증상: 짙은소변, 황달, 피로, 식욕부진, 고열, 복통 등 발생

2) 호흡기계 감염병

환자나 보균자의 콧물, 객담, 재채기 등으로 배출되어 공기로 전파되는 감염병으로 예방접종 강화 중요.

(1) 디프테리아(제1급 감염병)

① 환자나 보균자의 콧물, 기침, 인후 분비물 또는 피부 상처를 통하여 직접 또는 비말 전파

② 병원체: Corynebacterium Diphtheriae
병원소: 사람(환자, 보균자)

③ 잠복기: 2~5일

④ 증상: 인후통, 미열, 피로, 식욕감퇴, 전신쇠약, 상기도 폐쇄, 심근염, 소목(bull neck) 등

⑤ 예방법: 독소(Toxoid) 접종(생후 2개월부터 2개월 간격으로 3회 실시, 추가접종은 18개월에 실시), 감염의심의 경우 항독소(Antitoxin) 접종

⑥ 검사방법: Schick test

(2) 백일해(제1급 감염병)

① 호흡기계를 통한 비말감염으로 유아에게 많이 발병하며 한 번 앓고나면 영구면역을 얻음(소아 감염병 중 사망률이 가장 높은 질병 중 하나이다.)

② 병원체: Borderella Pertussis
병원소: 사람(환자, 보균자)

③ 잠복기: 보통 7일

④ 증상: 콧물, 눈물, 결막염 등의 가벼운 상기도염 증세에서 점차 충혈, 구토, 점액성 가래, 청색증, 경막하 출혈, 무호흡 등의 증세 보임.

⑤ 예방법: 예방접종(DPT)

⑥ 치료법: 에리스로마이신(Erythromycin) 복용 또는 투여

(3) 홍역(제2급 감염병)

① 환자의 객담이나 재채기 등에 의한 비말감염으로 소아성 신고 감염병 중 가장 많이 발생하는 감염병

② 병원체: Measle Virus
병원소: 사람(환자, 보균자)

③ 잠복기: 평균 10일

④ 증상: 발열, 콧물, 결막염, 전신에 발진 증상이 있고 질병 특유의 코플릭반점 (Koplik spot) 나타남. 전구기, 발진기, 회복기의 3단계

⑤ 합병증: 중이염, 기관지염, 폐렴, 뇌수막염, 뇌염 등

⑥ 예방법: MMR 접종(생후 12~15개월 1회 접종, 추가 접종 만 4~6세 1회)

TIP!

전구기, 발진기, 회복기

1. 전구기: 감염력이 가장 강한 시기
2. 발진기: 임상증상이 가장 심한 시기
3. 회복기: 합병증이 가장 많이 발생하는 시기

(4) 유행성 이하선염(제2급 감염병, 볼거리)

① 타액의 비말 감염

② 병원체: Paramyxovirus
병원소: 사람(환자, 보균자), 원숭이

③ 잠복기: 평균 18일

④ 증상: 이하선에 침입하여 미열, 오한, 두통, 종창 등이 지속되다가 난소, 고환, 젖샘 등의 생식선 감염의 합병증을 동반함.

⑤ 예방법: MMR 접종, 환자와의 격리

(5) 풍진(제2급 감염병)

① 비말이나 타액의 배출로 후두부에 침입하여 감염되며 수직감염으로 임산부가 풍진에 감염될 경우 선천성 기형아를 출산

② 병원체: Rubella Virus
병원소: 사람(환자, 보균자)

③ 잠복기: 2~3주

④ 증상: 귀의 뒤, 목의 뒤, 후두부의 임파절이 붓고 발진이 생기며 미열, 두통, 권태 등의 증세가 나타난다. 심장 기형, 뇌성 마비, 청력 장애, 백내장, 녹내장, 뇌수막염 등

⑤ 예방: MMR 접종(임신 중에는 접종 금지), 환자와의 격리

(6) 인플루엔자(제4급 감염병, 독감)

① 비말에 의한 호흡기 감염

② 병원체: Influenza Virus A, B, C형
   병원소: 환자

③ 잠복기: 24~72시간

④ 증상: 발열, 오한, 근육통, 두통, 기침, 전신쇠약 등의 증상

⑤ 예방법: 예방접종, 사람이 많은 밀집장소 피하기, 개인위생 강화 등

(7) 수두(제2급 감염병, 대상포진)

① 비말에 의한 호흡기 감염, 피부 점막에서 오염된 물건 등을 통한 간접 전염으로 감염자의 95%가 15세 이하의 소아에서 발생. 주로 4~6월, 11~1월 사이에 많이 발생.

② 병원체: Varicella zoster virus
   병원소: 환자

③ 잠복기: 13~17일

④ 증상: 수포 형성, 급성 미열, 가려움, 권태감 등

⑤ 예방법: 수두 생백신 접종, 접촉자에게 면역 글로불린 주사 등

(8) 성홍열(제2급 감염병)

① 비말에 의한 호흡기 감염, 물건이나 손에 의해 간접 감염, 균에 의해 오염된 우유 등의 음식물 통해 발생

② 병원체: Group A 용혈구균 용혈성 연쇄상구균
   병원소: 사람(환자, 보균자)

③ 잠복기: 1~3일

④ 증상: 급성 고열, 구토, 인후통, 발진 등

⑤ 검사방법: Dick test

(9) b형 헤모필루스인플루엔자(제2급 감염병)

① 상기도 감염, 기침이나 재채기할 때 분비되는 비말에 의해 상기도를 거쳐 체내 침입하여 발생하고 보통 5세 미만의 소아에서 주로 발생하는 질병

② 병원체: Haemophilus influenza type b
   병원소: 사람(환자, 보균자)

③ 잠복기: 1~3일

④ 증상: 급성 고열, 객담 동반한 기침, 흉통 등

⑤ 예방법: b형 헤모필루스인플루엔자 예방 접종

(10) 폐렴 구균(제2급 감염병)

① 감염된 사람의 침이나 콧물, 기침, 재채기 등에 의해 전파

② 병원체: Streptococcus pneumoniae
병원소: 사람(환자, 보균자)

③ 잠복기: 1~3일

④ 증상: 급성 고열, 오한, 객담 동반한 기침, 흉통 등

⑤ 예방법: 폐렴 구균 예방 접종

3) 절지동물 매개 감염병

(1) 페스트(제1급 감염병), 흑사병

① 원인균: Yersinia pestis
병원소: 야생쥐

② 매개 곤충: 벼룩

③ 감염된 설치류가 페스트균을 토출하여 사람에게 전파

④ 잠복기: 2~6일

⑤ 예방법: 예방접종, 검역, 벼룩 제거 등

(2) 발진티푸스(제3급 감염병)

① 원인균: Richettia prowazeki
병원소: 사람

② 매개 곤충: 이(louse)

③ 리케치아균을 가지고 있는 사람의 피를 빨아먹은 이의 장내에서 증식한 병원체가 배설물로 탈출, 상처나 먼지를 통하여 호흡기계로 감염

④ 잠복기: 10~14일

⑤ 예방법: 소독, 이의 구제, 격리, 신속한 발생보고, 개인위생, 생활환경 개선 등

(3) 일본뇌염(제3급 감염병)

① 원인균: Japanese encephalitis B virus
병원소: 돼지, 조류

② 매개 곤충: 작은 빨간집 모기
③ 일본뇌염 바이러스에 감염된 돼지를 흡혈한 모기가 사람을 물어서 감염
④ 잠복기: 5~15일
⑤ 예방법: 예방접종, 매개 곤충 모기에 대한 관리(서식처 없애고 살충제 사용 등으로 유충 박멸)

(4) 말라리아(제3급 감염병)

① 원인균: 삼일열 원충(Plasmodium vivax), 난형열 원충(P. ovale), 사일열 원충(P. malariae), 열대열 원충(P. falciparum)
병원소: 사람
② 매개 곤충: 중국얼룩날개모기
③ 원충에 감염된 모기에 물렸을 때, 수혈이나 오염된 주사기 바늘을 통해 전파
④ 주로 아프리카, 중남미 지역, 아시아 남부 지역에 주로 유행
⑤ 예방법: 모기에 물리지 않도록 하며 말라리아 위험지역으로 가기 전후로 예방적 항생제 복용, 환자 혈액 철저한 관리 등
⑥ 3대 증상: 발열, 빈혈, 비장종대

(5) 유행성출혈열(제 3급 감염병), 신증후군출혈열

① 원인균: Hantaan Virus, Seoul Virus
병원소: 들쥐
② 매개 곤충: 들쥐의 배설물, 들쥐에 기생하는 좀진드기
③ 주로 늦가을이나 늦봄에 발생
▶ 3대 가을철 풍토병: 유행성출혈열, 렙토스피라증, 쯔쯔가무시병
④ 바이러스에 감염된 들쥐의 배설물이나 들쥐에 기생하는 좀진드기에 의하여 전파되며 사람간의 전파는 없음.
⑤ 예방법: 예방 접종, 풀밭에 노출되지 않기, 들쥐 및 진드기와의 접촉 피하기

(6) 쯔쯔가무시증(제 3급 감염병), 양충병

① 원인균: Orientia tsutsugamushi
병원소: 들쥐 및 털진드기
② 매개 곤충: 털진드기에 감염된 유충
③ 쯔쯔가무시에 감염된 털진드기의 유충이 사람을 물어서 전파, 주로 가을철에 발생
④ 예방법: 산림, 목초지 등에 노출되지 않기, 야외활동 후 목욕

(7) 발진열(제3급 감염병)

① 원인균: Rickettia typhi
병원소: 쥐

② 매개 곤충: 쥐벼룩

③ 리케치아균이 섞인 벼룩의 분변을 벼룩이 물어서 생긴 병변의 오염으로 감염되며 벼룩의 분변을 흡입하여 호흡기로 들어갔을 때 감염

④ 예방법: 벼룩에 노출되지 않기

4) 동물매개 감염병

(1) 탄저병(제1급 감염병)

① 원인균: Bacillus Anthracis
병원소: 소, 양, 돼지 등의 가축

② 잠복기: 보통 4일

③ 감염된 가축에 접촉하여 피부와 기도로 전파

④ 예방법: 가축과 접촉하는 사람들의 위생적인 취급 필요, 약독화 생균 백신 가축에게 접종

(2) 공수병(제3급 감염병), 광견병

① 원인균: Rabies Virus
병원소: 견과의 야생동물, 가축

② 공수병 바이러스에 감염된 동물의 타액에 의해 감염

③ 잠복기: 2~8주, 근육이 마비되거나 혼수증세로 수일 이내에 사망

④ 예방법: 동물에서의 광견병 예방접종, 동물 수입시 철저한 검역

(3) 렙토스피라증(제3급 감염병), 와일즈병(Weil's disease)

① 원인균: Leptospira interrogans
병원소: 쥐

② 감염된 동물의 소변이나 조직으로 오염이 된 물, 식물, 토양 등에 피부의 상처나 점막 등의 접촉으로 감염, 주로 가을철에 많이 발생

③ 잠복기: 보통 1~2일

④ 예방법: 논밭에서 작업 시에 피부 보호, 오염된 물에서 수영 금지, 작업 후 위생철저

3. 만성감염병

1) 결핵(제2급 감염병)

(1) 결핵의 개념

① 독일의 세균학자 Robert Koch가 결핵균을 발견

② 병원체: Mycobacterium tuberculosis
병원소: 사람과 소

③ 비말감염으로, 특히 폐에 잘 발병하며(약 85%) 우리 몸 어디에나 발병 가능(후두결핵은 감염성이 높다.)

④ 활동성 결핵 발생 원인: 최근 1년 이내의 감염, 에이즈, 당뇨, 위장 절제술 등의 수술력, 규폐증, 만성 신부전 및 투석, 면역 억제제 투여, 흉부 X선상 섬유화된 병변의 존재 등

⑤ 결핵 역학의 특징: 남자〉여자, 도시〉농촌, 유색인종〉백인종, 낮은 사회 · 경제 집단,가난하고 환기가 잘 안 되는 집에서 감염 증가

TIP!

폐결핵 검진

1. 어린이: TB 검사 → X선 직접촬영 → 배양(객담)검사
2. 성인: X선 간접 촬영 → X선 직접 촬영 → 배양(객담)검사

(2) 진단법

객담검사, 흉부방사선(X선) 촬영, 결핵감염진단검사(Tuberculin 반응 검사), 분자생물학적 검사(PCR) 등

TIP!

Tuberculin Skin Test(=mantoux test)

1. 결핵감염 유무 진단을 위한 최초의 검사 방 법으로 잠복 결핵을 screening 하기 위해 시행하는 검사
2. 팔 부분에 주사를 맞고 48~72시간 후 경결의 크기를 확인하여 그 크기가 10 mm 이상일 경우 양성으로 간주

(3) 예방법

BCG 예방접종(출생 후 1개월 이내), 항 결핵제 복용

2) 한센병(제2급 감염병)

① 나병

② 병원체: Mycobacterium Leprae
병원소: 환자

③ 감염경로: 정확한 감염경로는 아직 밝혀지지 않았으나 나균환자의 나균에 오랫동안 접촉한 경우의 직접전파, 환자의 배설물이나 분비물을 통한 간접전파, 피부나 호흡기를 통한 점막, 비말 감염 등으로 감염되는 것으로 추측함.

④ 진단법: Lepromin test

⑤ 예방법: 환자의 발견, 격리, 치료, 접촉자 관리, 집단적 예방 등

⑥ 특징: 유전되지 않고 피부말초신경증상이 발생함.

3) 성병

(1) 매독(Syphilis, 제4급 감염병)

① 감염 경로: 성교 시 상대방의 성기를 통한 직접 접촉에 의한 감염, 모체로부터 태아에게로 전파되는 선청성 매독(태아 감염), 수혈 감염

② 3대 성병: 매독, 임질, 연성하감

③ 병원체: Treponema pallidum
병원소: 사람

④ 매독 특징

- 1기 매독: 세균의 침범부위에 나타나는 무통성 궤양
- 2기 매독: 피부 발진, 점막의 병적인 변화
- 3기 매독: 다양한 내부 장기(눈, 심장, 뼈, 관절, 혈관 등) 침범, 뇌와 척추의 손상으로 인한 신경 매독으로 시력이 손상되거나 사망에 이를 수 있음.

⑤ 진단법: VDRL test, Wasserman test

(2) 임질(Gonorrhea, 제4급 감염병)

① 감염 경로: 성교에 의해서 전염되는 성병으로 세계적으로 가장 많이 발생하는 성병. 모성이 임질인 경우 신생아 임균성 결막염 발생 가능

TIP!
신생아 임균성 결막염 예방
1~2% 질산은수 점안

② 병원체: Neisseria Gonorrhoeae
병원소: 사람

③ 임질 특징: 관절염, 결막염, 실명, 자궁내막염, 난관염, 골반 복막염, 요도염, 불임, 부고환염, 직장항문염 등 발생

(3) 연성하감(Chancroid, 제4급 감염병)

① 감염 경로: 성교에 의해서 전염되는 성병

② 병원체: Hemophilus Ducreyi
병원소: 사람

③ 연성하감 특징: 생식기에 궤양을 일으키는 통증이 심한 질병

(4) 기타 성병

그 밖에 클라미디아 감염증, 트리코모나스 질염, 칸디다 감염증, 인간 유두종 바이러스 감염증, 단순 포진 바이러스 감염증 등

4) 후천성 면역결핍증(AIDS; Acquired Immune Deficiency Syndrome, 제3급 감염병)

① 에이즈의 개념: 건강한 인체 내에서는 발병하지 못하던 바이러스, 세균, 곰팡이, 기생충 등이 HIV에 감염되어 면역세포인 CD4 양성 T 림프구가 파괴되면서 인체 내의 면역력이 저하되어 병원체로 활동하여 발병하는 모든 증상

② 병원체: HIV-1, 2(Human immunodeficiency Virus)
병원소: 사람

③ 감염경로: 에이즈 바이러스는 감염인의 혈액, 질 분비물, 정액에 존재하기 때문에 성교, 수혈, 감염혈액에 오염된 주사기로 정맥 주사, 산모로부터의 수직감염 등으로 감염

④ 증상: 만성이라 시간이 지나 서서히 발병되며 증상에 따라 급성 감염기, 무증상 잠복기, 발병기(후천성 면역결핍증 시기)로 구분하며 신체의 면역기능이 상실됨.

⑤ 진단법: Western Blot test, ELISA 효소면역법

5) 간염(A형간염은 제2급 감염병, B · C형감염은 제3급 감염병)

(1) 간염의 개념

간 세포 및 간 조직에서 증식하고 염증이 생기는 질병으로 급성과 6개월 이상 지속하는 만성으로 구분. A형, B형, C형, D형, E형, G형 6종류 바이러스성 감염과 비바이러스성 간염으로 분류

(2) 원인

① A형간염: 바이러스에 감염된 환자와의 접촉에 의한 감염이며 분변을 통해 배출된 병균에 오염된 물이나 음식 등의 섭취로 경구 감염되며 간세포의 변성으로 황달 발생의 특징이 나타남. (만성으로 진행되지 않는다.)

② B형간염 : 모체로부터 수직감염, 수혈, 혈액투석, 성적인 접촉, 오염된 주사기 공동사용, 피어싱, 문신 등 바이러스에 감염된 혈액이나 체액에 의해 감염. 우리나라의 경우 바이러스성 간염 중 B형 간염이 대부분을 차지함

③ C형간염: B형간염과 마찬가지로 바이러스에 감염된 혈액이나 체액에 의해 감염되고(수혈이 주요 원인), 한 번 감염되면 대부분 만성으로 진행되며 합병증으로 간경변증을 유발, 간부전으로 진행하여 간암 발생으로 사망까지 이를 수 있음

(3) 예방법

① A형 간염: 개인위생, 예방 접종

② B형 간염: 예방 접종

③ C형 간염: 백신, 면역글로불린이 없으므로 감염되지 않도록 주의

4. 급,만성 감염병의 진단방법

한센병	Lepromin test
디프테리아	Shick test
성홍열	Dick test
결핵	• Mantoux test • PPD(Tuberculin Skin Test)
장티푸스	Widal test

1. 위생해충의 이해

모기, 파리, 바퀴, 벼룩, 이, 쥐 등 주로 설치류와 절지동물에 해당하며 인체의 건강에 직접 또는 간접적으로 피해를 주는 질병매개물을 위생해충이라 함.

2. 위생해충 매개 질병

모기	말라리아, 뎅기열, 황열, 일본뇌염, 사상충증 등
파리	장티푸스, 파라티푸스, 콜레라, 이질, 결핵 등
바퀴	장티푸스, 살모넬라, 콜레라, 세균성이질, 디프테리아, 결핵 등
쥐	아메바성 이질, 선모충증, 서교열, 살모넬라, 발진열, 쯔쯔가무시병, 신증후군출혈열 등
벼룩	페스트, 발진열 등
진드기	쯔쯔가무시병, 유행성 출혈열, 재귀열, 록키산홍반열
이	발진티푸스, 재귀열, 참호열
빈대	매개하는 질병 없음

3. 위생해충 관리방법

① 구충, 구서는 발생 초기에 광범위하게 동시에 실시하며 구제 대상 동물의 발생원이나 서식처를 제거

② 물리적으로 끈끈이, 각종 트랩이나 유문들을 사용하고 화학적으로 살충제를 사용하며, 생물학적으로 천적을 이용하거나 불임웅충 방사법을 사용하여 구제

4. 위생해충의 종류

1) 모기

① 질병 매개 작용 모기

▸ 작은 빨간집 모기 : 일본뇌염 매개

▸ 중국 얼굴 날개 모기: 말라리아 매개

▸ 토고숲 모기: 말레이사상충 매개

▸ 열대숲 모기: 황열, 뎅기열 매개

▸ 흰줄숲모기: 뎅기열 매개

② 모기의 생활사

▸ 완전변태: 알 → 유충 → 번데기 → 성충
(알이 성충이 되는 기간은 환경에 따라 차이가 있으나 평균 10일~15일이며 유충은 4회 탈피한다)

▸ 성충의 수명은 온도나 습도에 따라 차이가 있으나 보통 1개월
(암컷은 1개월, 수컷은 10~20일 정도)

▸ 수서생활(미성숙 시기) → 육서생활(성충)

③ 구제 방법

▸ 환경적 구제 방법: 정체되어 있는 수역에 주로 산란하기 때문에 유충의 서식장소가 되는 하수구나 웅덩이 물 등이 오랫동안 정체하지 않도록 매몰, 배수 등의 방법을 이용

▸ 물리적 구제 방법: 살충제 분무

▸ 천적 구제 방법: 모기의 유충을 포식하는 어류를 이용

2) 파리

① 질병 매개 작용 파리

▸ 소화기계질환: 장티푸스, 파라티푸스, 이질, 콜레라, 식중독균(살모넬라, 포도상구균) 등

▸ 호흡기계질환: 결핵, 디프테리아 등

▸ 기생충질환: 회충, 요충, 편충, 촌충 등의 충란 운반

▸ 기타: 소아마비, 화농균 등

② 생활사

▸ 완전변태: 알 → 유충(3회 탈피) → 번데기 → 성충

▸ 한 번에 50~150개, 일생 동안 5~6번 산란

③ 구제 방법

▸ 환경적 방법: 발생원인, 서식처 제거

▸ 기계적 방법: 성충구제법으로 파리통, 파리채, 끈끈이테이프법 이용

▸ 유충구제법: 살충제 사용, 화장실에는 생석회 이용

▸ 성충구제법: 속효성 살충제 분무, 독살제, 접촉제, 훈향제 사용

3) 바퀴

① 질병 매개 작용 바퀴

- ▶ 소화기계질환: 장티푸스, 콜레라, 세균성이질, 살모넬라, 소아마비, 식중독균(살모넬라, 포도상구균) 등
- ▶ 호흡기계질환: 결핵, 디프테리아 등
- ▶ 기생충질환: 회충, 요충, 편충, 구충, 아메바성 이질

② 생활사

- ▶ 불완전변태: 알 → 유충 → 성충
- ▶ 전 세계적으로 분포하며 여러 마리가 군집생활하는 군거성, 야행성, 질주성, 잡식성 등
- ▶ 바퀴의 배설물이나 체표, 다리의 극모 등으로 병원체 전파

③ 구제방법

- ▶ 위생관리, 환경위생 개선, 청결 등으로 발생원 제거
- ▶ 살충제 사용
- ▶ 훈증법: DDT, DDVP, Pyrethrine 등
- ▶ 독먹이(붕산단자, Dipterex)를 놓아 먹게 하는 방법

4) 쥐

① 질병 매개 작용 쥐

- ▶ 바이러스성 질환: 신증후군 출혈열
- ▶ 기생충 질환: 아메바성 이질, 선모충증
- ▶ 세균성 질환: 살모넬라증, 페스트, 서교열, 와일씨병(Weil's 병)
- ▶ 리케치아성 질환: 발진열, 쯔쯔가무시병

② 생활사

- ▶ 하수구나 쓰레기 처리장 등이 주된 서식처로 물과 먹이, 안전한 장소만 있으면 어디든지 서식 가능, 야간성, 잡식성, 색맹, 근시, 집단생활 등
- ▶ 종류: 시궁쥐, 지붕쥐, 생쥐

③ 구제방법

환경개선(서식처 제거), 천적(고양이, 개, 족제비, 오소리, 뱀 등) 이용, 트랩이용, 살서제(ANTU, 1080, 와파린 등), 훈증소독(아황산가스, 일산화탄소, 청산수소가스 등) 사용

5) 빈대

① 불완전변태: 알 → 유충 → 성충

② 야행성으로 사람의 피를 빨아먹는 생활양식을 갖고 납작하게 눌린 모양을 하며 평소에는 진한 갈색이나 흡혈 후에는 붉은색이 나타남. (먹지 않고 오랫동안 생존 가능하다.)

③ 질병을 매개하지 않으며 흡혈에 의해 발적, 소양감 및 세균에 의한 2차 감염을 유발

④ 구제방법: DDVP 분말 연무, 훈증법 등

6) 벼룩

① 질병 매개 작용 벼룩: 페스트, 발진열 등

② 완전변태: 알 → 유충 → 번데기 → 성충

③ 습하고 온도가 낮은 환경에서 거주한다.

④ 구제방법: 서식처 제거, 살충제(DDT, Pyrethrin 등) 이용

7) 진드기

① 질병 매개 작용 진드기: 쯔쯔가무시증, 야토병, 록키산홍반열, 재귀열 등

② 불완전변태: 알 → 유충 → 성충

8) 이

① 질병 매개 작용 이: 참호열, 발진티푸스, 재귀열 등

② 불완전변태: 알 → 유충(3회 탈피) → 성충

1. 기생충의 이해

① 기생: 자연계에서 어떤 생물이 다른 생물의 체표면이나 체내에서 영양분을 섭취하고 있는 상태
② 기생충: 기생생물이 동물에 기생하는 경우
③ 숙주: 기생된 동물
④ 기생생활: 이런 생활 현상

2. 기생충의 인체 기생장소

소장	무구조충(민촌충), 유구조충(갈고리촌충), 광절열두조충(긴촌충), 회충
공장	십이지장충(구충), 요코가와흡충
맹장	편충, 요충
폐	폐디스토마(폐흡충)
담관	간디스토마(간흡충)
임파선	말레이사상충
위장벽	아니사키스충

3. 기생충의 진단

① 분변: 회충, 구충, 간흡충, 유구조충
② 소변: 일본주혈흡충, 질트리코모나스
③ 혈액: 사상충증
④ 객담: 폐흡충, 회충, 십이지장충, 분선충
⑤ 스카치테이프법: 요충

4. 기생충의 전파 경로

① 접촉 매개 기생충: 요충, 질트리코모나스
② 육류 매개 기생충: 선모충(돼지고기), 유구조충(돼지고기), 무구조충(쇠고기)
③ 모기 매개 기생충: 말라리아 원충, 사상충
④ 어패류 매개 기생충: 간흡충, 폐흡충, 요코가와흡충, 광절열두조충, 아니사키스충
⑤ 채소 매개 기생충: 회충, 요충, 십이지장충, 편충, 동양모양선충, 유구낭충, 이질아메바 등

5. 기생충의 종류

윤충류		원충류	
선충류	회충, 요충, 편충, 구충, 동양모양선충, 말레이사상충, 분선충, 선모충, 아니사키스 등	근족충류	이질아메바(병원성), 대장아메바(비병원성)
흡충류	간흡충, 폐흡충, 주혈흡충, 요꼬가와흡충, 간질 등	포자충류	말라리아, 톡소플라스마
조충류	유구조충, 무구조충, 광절열두조충, 만손열두조충 등	편모충류	질트리코모나스, 람블편모충

6. 기생충 특성 – 윤충류

1) 선충류

(1) 회충

① 특징: 전세계적으로 분포하며 인분을 비료로 사용하던 농촌 지역에 많았으나 차차 감소되어 도시에서 거의 관찰하기 힘들다. 사람에 기생하는 선충류 중에서 가장 큰 원주상의 긴 벌레

② 인체 기생장소: 소장

③ 전파경로: 분변으로 탈출한 충란의 경구침입 → 위(부화) → 폐 → 기관지 → 식도 → 소장(성충) 정착

④ 감염증상: 발열, 권태, 구토, 설사, 복통, 두통, 폐렴상 증상, 급성 장염, 장폐쇄 등

⑤ 예방법: 일반 기생충의 예방법과 동일, 위생적인 식생활, 손 청결, 집단구충, 변소 개량과 분변의 완전처리, 청정채소 및 채소 세정, 일광 사멸 등

⑥ 치료법: 구충제 복용

(2) 요충

① 특징: 성인보다 소아에게 많이 감염되며 집단감염의 특징이 있으며 충란 감별법으로 스카치테이프법(95%)과 분변법(5%) 등

② 인체 기생장소: 맹장

③ 전파경로: 음식물이나 손을 통하여 성숙된 충란의 경구적 침입 → 소장 상부에서 부화 → 맹장 부위 점막에서 발육 → 직장내에서 기생 → 항문 밖에 나와서 산란 → 감염성 충란 → 손을 거쳐서 직접 경구 감염, 충란으로 오염된 음식물, 식기 등을 통한 간접 경구감염

④ 감염증상: 항문 주위 소양증, 습진, 염증, 백대하증, 음경발기, 정액루, 집중력 저하 등

⑤ 예방법: 회충의 예방법과 동일, 위생적인 식생활, 손 청결, 집단구충, 항문근처 속옷 등 깨끗하게 유지, 일광사멸 등

(3) 편충

① 특징: 전 세계에 분포하며 건조에 약해서 온난한 지방에서의 감염률이 높음.

② 인체 기생장소: 맹장과 대장

③ 전파경로: 분변으로 탈출한 충란 → 유충기 알 → 경구감염 → 소장 상부에서 부화 → 유충 → 맹장근처 기생 및 산란

④ 감염증상: 자각 증세가 별로 없고 미열, 염증, 구토, 복통 등의 증세 관찰 가능

⑤ 예방법: 회충의 예방법과 동일

(4) 구충(십이지장충)

① 특징: 경피적 침입 감염이 가능하며, 경구적 침입의 경우에 채독증(분변독)을 발생하며, 사람에게 감염시키는 구충은 아메리카구충과 십이지장충이 존재. (우리나 라는 십이지장충이 대부분이다.)

② 인체 기생장소: 소장

③ 전파경로: 분변으로 탈출한 충란 → 분변과 함께 배출 → 부화 → 탈피 → 사상유충 → 인체 침입 → 혈류, 임파류 → 간, 심장 → 폐, 기관지, 기관, 식도 → 소장 상부에서 기생

④ 감염증상: 구토, 기침, 소화장애, 충체의 흡혈로 인한 빈혈, 조혈기능 저하 등

⑤ 예방법: 회충의 예방법과 동일하며 분변의 완전처리, 맨발작업 금지, 인분 사용한 작업장에서의 노출 금지, 밭에 석회질소 뿌리기 등

(5) 동양모양선충

① 특징: 주로 동양과 중남미에 분포하며, 특히 한국과 일본에서 발생률이 높음.

② 인체 기생장소: 소장

③ 전파경로: 충란 → 분변과 함께 배출 → 부화 → 탈피 → 감염유충 → 인체 침입 → 위장 → 소장 → 성충

④ 감염증상: 복통, 설사, 흡혈, 소화장애, 빈혈 등

⑤ 예방법: 회충의 예방법과 동일하며 분변의 완전처리, 맨발작업 금지, 인분 사용한 작업장에서의 노출 금지, 밭에 석회질소 뿌리기 등

(6) 말레이사상충

① 특징: 세계적으로 분포하는 열대성 풍토병으로 우리나라에 분포하는 사상충
② 인체 기생장소: 임파선
③ 전파경로: 모기에 의해 유충의 인체 침입 → 림프관을 통해 림프결절로 이동 → 성충 → microfilaria → 혈관으로 이동 → 혈류에 출현
④ 감염증상: 림프관염, 고열, 전신근육통, 상피증 등
⑤ 예방법: 모기의 구제, 환경위생의 강화

(7) 선모충

① 특징: 서양에서 주로 분포하며 한국에서는 거의 없고, 사람, 쥐, 돼지, 개, 고양이 등 포유동물이 종말숙주로 작용함.
② 인체 기생장소: 소장 상부 또는 대장 상부(성충), 전신의 횡문근(피낭유충)
③ 전파경로: 성충(돼지 소장) → 유충 → 피낭유충 → 경구감염(사람) → 성충(사람 소장점막)
④ 감염증상: 발열, 발진, 근육통, 복통, 설사 등
⑤ 예방책: 돼지고기 생식금지, 쥐 구제, 돼지 도축장 검사 철저

(8) 아니사키스(고래회충)

① 특징: 고래류, 돌고래류 등 바다 포유류에 기생하는 회충으로 생활사를 진행하면서 여러 숙주를 거치게 됨.
② 인체 기생장소: 고래, 돌고래 - 소장 / 사람 - 위장벽
③ 전파경로: 고래, 돌고래로부터 배출된 충란 → 제1기 유충 → 해산 새우류(제1중간숙주) → 제2기 유충 → 청어, 대구, 고등어, 갈치, 오징어 등(제2중간숙주) → 제3기 유충 → 경구감염 → 유충
④ 감염증상: 구역질, 심한 복통, 메스꺼움, 구토 등
⑤ 예방법: 해산어류의 생식금지

2) 흡충류

(1) 간흡충(간디스토마)

① 특징: 우리나라 5대강(낙동강, 금강, 영산강, 한강, 섬진강) 유역에 분포하며 민물고기 생식과 관련이 있고, 사람, 개, 고양이 등이 종말 숙주로 작용함.
② 병원소: 감염된 사람, 개, 고양이, 돼지 등

③ 인체 기생장소: 담관

④ 전파경로: 충란이 분변과 함께 배출 → 왜우렁이(제1중간숙주) → 유모유충 → 포자낭유충 → 레디유충 → 유미유충 → 담수어(피라미, 붕어, 잉어 등) (제2중간숙주) → 피낭유충 → 경구감염(사람, 종말숙주) → 성충(담관)

⑤ 감염증상: 복부 불편감, 소화불량, 빈혈, 간비대, 발열, 설사, 황달, 말기에는 간경변으로 사망

⑥ 예방법: 민물고기 생식금지, 왜우렁이(제1중간숙주) 박멸, 조리기구 위생관리, 인분관리 등

⑦ 치료법: 구충제 복용

(2) 폐흡충(페디스토마)

① 특징: 우리나라 산간지역에 주로 분포하였으나 지금은 전국적으로 발생되며 가재의 생식과 관련이 있고, 사람, 개, 고양이 등이 종말숙주로 작용한다. 외국에서는 일본, 중국, 필리핀, 대만 등에서 산발적으로 발생함.

② 병원소: 사람과 동물

③ 인체 기생장소: 폐

④ 전파경로: 충란이 객담이나 분변과 함께 배출 → 유모유충 → 다슬기(제1중간숙주) → 포자낭유충 → 레디유충 → 유미유충 → 민물 게, 가재(제2중간숙주) → 피낭유충 → 경구감염(사람, 종말숙주) → 성충(폐)

⑤ 감염증상: 기침과 객혈 등의 호흡기 이상이 나타나며 엑스레이 검사상 폐결핵과 비슷한 증상이 발생함. 페디스토마의 기생 부위에 따라 복부 페디스토마, 뇌부 페디스토마, 폐부 폐디스토마 등이 발생함.

⑥ 예방법: 중간숙주 게나 가재 생식금지, 객담과 분뇨의 위생적 처리, 물 끓여먹기, 유행지역에서 생수 마시지 않기 등

⑦ 치료법: Bithionol 투여

(3) 요코가와흡충

① 특징: 동양 각지에 분포하며 우리나라에서는 섬진강, 보성강 유역 등에 많이 분포하며 사람과 포유동물 등이 종말 숙주로 작용

② 병원소: 사람과 동물

③ 인체 기생장소: 소장

④ 전파경로: 충란이 분변과 함께 배출 → 다슬기(제1중간숙주) → 유모유충 → 포자낭

유충 → 레디유충 → 유미유충 → 민물고기(은어, 황어, 붕어, 잉어) (제2중간숙주) → 피낭유충 → 경구감염(사람, 종말숙주) → 성충(공장 상부)

⑤ 감염증상: 고열, 만성 장염, 설사, 복통

⑥ 예방법: 민물고기 생식금지, 조리 시 손을 통한 감염 방지 등

⑦ 치료법: 프라지콴텔 경구 투여

3) 조충류

(1) 유구조충(갈고리촌충)

① 특징: 전세계적으로 분포하며 돼지고기 생식과 관련이 있음.

② 기생장소: 소장

③ 전파경로: 충란이 분변과 함께 배출 → 돼지(중간숙주) → 육구유충 → 유구낭충(근육) → 사람(종말숙주) 경구감염 → 성충(소장)

④ 감염증상: 설사, 복통, 구역질, 구토 등 소화기계 증상

⑤ 예방법: 돼지고기 생식금지(충분히 익혀 먹을 것), 돼지의 사료에 분뇨에 의한 오염방지, 환자는 신속히 구충시킬 것

(2) 무구조충(민촌충)

① 특징: 전세계적으로 분포하며 쇠고기 생식과 관련이 있고 유구조충보다 감염률이 높음.

② 기생장소: 소장

③ 전파경로: 충란이 분변과 함께 배출 → 소(중간숙주) → 육구유충 → 무구낭충(근육이나 조직) → 사람(종말숙주) 경구감염 → 성충(소장)

④ 감염증상: 복통, 소화불량, 오심, 구토 등 소화기계 증상

⑤ 예방법: 쇠고기 생식금지(충분히 익혀 먹을 것), 소의 사료에 분뇨에 의한 오염방지, 환자는 신속히 구충시킬 것

(3) 광절열두조충(긴촌충)

① 특징: 미국, 유럽, 일본 등에 분포하며 우리나라 북한의 동해안에 분포하는 길이 3~10 m, 체절 3천~4천개, 2개의 흡구가 존재하는 기생충임.

② 기생장소: 소장 상부

③ 전파경로: 충란 분변과 함께 배출 → 물벼룩(제1중간숙주) → 송어, 농어, 연어(제2중간숙주) → 사람(종말숙주) 경구감염 → 성충(소장 상부)

④ 감염증상: 복통, 설사, 체중 감소 등 소화기 장애 및 악성빈혈, 영양결핍 등

⑤ 예방법: 송어, 연어 등 민물고기 생식금지, 완전 가열 조리

7. 기생충 특성 – 원충류

(1) 이질 아메바(병원성)

① 병원체: 이질 아메바

② 잠복기: 약 1개월

③ 전파경로: 분변으로 배출된 원충이나 포낭→ 오염된 식품이나 음료수를 거쳐 경구 침입 → 맹장에 기생

④ 증상: 복통, 설사(혈액과 점액질이 많은 점혈변), 이질, 만성으로 진행할 경우 간, 폐, 뇌농양 유발

⑤ 예방법: 음료수 소독 및 끓여먹기, 식품의 오염방지, 환경위생, 분변처리, 곤충 박멸, 염소소독, 환자 격리 등

(2) 말라리아 원충

① 특징: 주로 아프리카, 중남미 지역, 아시아 남부 지역에 주로 유행

② 전파경로: 환자로부터 모기가 흡혈하면 모기 체내에서 중국얼굴날개모기 유성생식을 거쳐서 인체에 감염되거나 수혈이나 오염된 주사기 바늘을 통해 전파

③ 감염증상: 발열, 빈혈, 식욕부진, 전신권태 등

④ 예방법: 모기 박멸, 모기에 물리지 않도록 하며 말라리아 위험지역으로 가기 전후로 예방적 항생제 복용, 환자 혈액 철저한 관리 등

(3) 질트리코모나스

① 병원체: 질트리코모나스

② 전파경로: 성교에 의한 감염으로 남성이 매개체로 알려져 있고 제2의 성병이라 할 수 있음.

③ 증상: 남자의 경우 임상적으로 무증상일 경우도 있으나 여자의 경우 질 벽 및 질 점막의 발적과 출혈, 소양감, 백색대하 등 증상이 나타남.

④ 예방: 불결한 성생활 주의, 변기 위생적 소독, 속내의 삶거나 일광욕으로 건조, 부부가 함께 치료 등

part

03

환경보건

제9장 환경보건

1. 환경보건의 이해

1) 환경

(1) 환경의 개념

인간의 주변을 둘러싸고 직간접적으로 건강이나 삶에 영향을 미치는 모든 요소를 의미

(2) 환경의 구분

① 자연적 환경: 물리적 환경(기후, 공기, 물, 토지 등), 생물학적 환경(동물, 미생물, 식물, 위생곤충 등)

② 사회적 환경: 인위적 환경(주택, 의복, 식생활, 위생시설 등), 문화적 환경(정치, 사회, 인구, 종교, 문화 등)

2) 환경보건학

(1) 환경위생

인간의 신체발육과 건강 및 생존에 유해한 영향을 미치거나 또는 영향을 미칠 수 있는 인간의 물리적 환경에 있어서의 모든 요소를 통제하는 것(세계보건기구의 환경위생전문위원회)

(2) 환경보건학

환경과 인간의 상호관계에서 인간을 중심으로 한 보건문제를 연구하여 인간의 이익으로 파괴된 환경을 개혁하는 학문

2. 기후

1) 기후의 개념

① 기후: 일정한 지역에서 발생하는 장기간에 걸쳐 나타나는 종합적인 대기현상의 평균적인 상태

② 기상: 대기 중에서 변화하는 순간적인 자연현상(고기압, 저기압, 태풍, 눈, 바람, 구름 등)

③ 일기: 어떠한 지역의 하루 동안 기상상태

④ 기후 요소: 기온, 기습, 기류, 기압, 풍향, 풍속, 강설량, 강우량, 일사량 등
기후의 3요소: 기온, 기습, 기류

⑤ 기후인자: 기후에 영향을 미치는 요인(위도, 해발, 해류, 지형 등)

2) 기후형

① 대륙성 기후: 기온이 빨리 상승하고 빨리 하강하여 기온의 연교차와 일교차가 해양에 비하여 매우 크다. 여름에 기온이 높고 겨울에 맑은 날이 많다.

② 해양성 기후: 기온의 연교차와 일교차가 적고, 해양의 영향을 많이 받는 온화한 기후로 연중 온도, 연중 습도 높다. 여름에는 선선하며 겨울에는 따뜻하다. 오존량과 자외선량이 많다.

③ 산악성 기후: 고산지방의 기후로 기온의 일변화, 연변화가 작고 풍속이 강하며 일사량과 자외선량, 오존량이 많다.

④ 사막성 기후: 주로 내륙의 아열대고기압에서 발달하는 건조한 기후로 대륙성 기후에 속하는 극단기후적 특성을 나타낸다. 강수량보다 증발량이 더 많고 일사가 매우 강하며 수증기의 양이 적어 낮과 밤의 기온 일교차가 크다.

3) 기후대

① 한대: 고위도, 최난월 평균 기온이 10도 이하의 지구상에서 가장 한랭한 지역으로 감염병 유행이 적다.

② 온대: 중위도, 여름과 겨울의 구별이 정확하고 적당한 우량에 기후가 따뜻한 열대와 한대 사이 지역으로 온대와 열대지방은 감염병 유행이 많다.

③ 열대: 적도 인근의 저위도, 월 평균기온이 20도 이상으로 항상 여름이고 강수량이 많은 지역으로 특히 곤충매개감염병 유행이 많다.

4) 기후 순화(acclimatization)

(1) 개념

살던 지방에서 다른 지방으로 이주하였을 때 그 지방의 새로운 기후조건에 적응하여 이주자의 인체가 기질적 또는 기능적 변화를 일으켜 생존을 영위해 가는 것

(2) 개인적 순응성, 민족적 순응성

(3) 순화기전

① 대상성 순응: 새로운 환경조건에 세포나 기관의 그 기능을 적응시키는 것

② 자극성 순응: 환경자극에 의해 저하되었던 기능이 정상적으로 회복되는 것

③ 수동적 순응: 약한 개체가 자신에 대한 최적의 기능을 찾는 것

5) 고온 순화

(1) 개념

고온 환경에서 고온 스트레스가 지속되어 나타나는 생리적인 적응과정

(2) 고온순화의 생리적 변화

심혈관계의 변화	① 심박출량과 수축력 증가 ② 심박수 감소 ③ 최대산소섭취량 증가 ④ 혈장량 증가
땀 분비의 변화	① 땀 배출 시작이 빨라짐 ② 땀 분비량과 분비속도 증가 ③ 땀의 염분 농도 감소
콩팥기능 변화	① 신사구체여과율 증가(20%까지) ② 소변내 염분의 배출이 억제

(3) 고온순화 예시

사람이 40℃ 이상의 고온 환경에 노출되었을 때 땀의 분비 속도는 느리고 피부 및 직장의 온도, 심장 박동 수는 증가한다. 이러한 상태에서 계속 활동을 하게 되면 내성과 작업 능력이 한계에 이르나 지속적으로 노출되면 피부 및 직장의 온도, 심장 박동 수는 다시 정상으로 돌아오고 땀의 분비 속도만 증가한다. 이러한 적응 현상을 고온순화라고 하는데 순화되지 않은 사람은 땀 분비량이 시간당 700 cc를 넘지 않으나 지속적으로 고온에 노출되었을 때는 시간당 최대 2 L까지 땀 분비량이 증가되기도 한다. 또한 순화가 되면 알도스테론 호르몬의 분비 증가에 의하여 땀 속의 염분 농도가 감소하게 되어 같은 양의 땀을 흘리더라도 고온에 순화된 사람은 염분 손실이 적게 된다.

3. 온열환경(온열조건)

4대 온열요소(온열인자): 기온, 기습, 기류, 복사열

1) 온열조건

온열 요소들에 의해 형성되는 종합적인 상태

2) 온열요소

(1) 기온

① 실외 기온: 지표면에서부터 1.5 m 정도의 높이에 있는 대기의 온도

② 대류권의 기온: 지면으로부터 높이가 증가함에 따라 약 10 km 정도까지 100 m 상승 시 0.65℃ 하강

③ 최저 기온: 일출 30분 전 최고 기온: 오후 2시 전후

④ 일교차: 내륙지역 〉 해안지역 산악분지 〉 산림지역

연교차: 한대지방 〉 온대지방 〉 열대지방

⑤ 인체 체열의 생산과 방산

- ▶ 생산: 골격근〉 간장〉 심장〉 호흡
- ▶ 방산: 피부에서의 복사 및 전도 〉 피부에서의 증발, 폐포 증발, 대변, 소변

⑥ 실내 적정온도

- ▶ 침실: 15 ± 1℃
- ▶ 거실: 18 ± 2℃
- ▶ 병실: 21 ± 2℃
- ▶ 사무실, 학교, 작업장의 실내온도: 18~20℃
- ▶ 냉방 시 실내외 적정온도: 5~7℃

(2) 기습(습도)

① 기습: 일정한 온도의 공기 중에 포함된 수증기의 비율로 일반적으로 상대습도를 나타냄.

② 인체에 알맞은 보건학적 습도(쾌적기습): 기온에 따라 다르고 40~70%의 범위(평균 65%)

③ 습도가 낮으면 호흡기계 질병 발생이 쉽고, 습도가 높으면 피부질환 발생이 쉬움.

④ 습도의 종류

- ▶ 절대습도: 공기 1 m^3 중에 포함된 수증기의 양을 g으로 나타냄.
- ▶ 상대습도: 현재 포함한 수증기량과 공기가 최대로 포함할 수 있는 수증기량(포화

수증기량)의 비를 %로 나타냄.

▸ 포화습도: 일정한 기온에 있어서 그 공기 속에 함유될 수 있는 최대량의 수증기가 함유된 상태

(3) 기류(풍속)

① 기류: 수평, 수직방향의 모든 공기 흐름

② 범위

▸ 쾌적기류: 실내 0.2~0.3 m/sec, 실외 1.0 m/sec

▸ 불감기류: 사람이 느낄 수 있는 한계 범위의 기류 그 이하, 0.2~0.5 m/sec 이하

▸ 무풍: 0.1 m/sec 이하

③ 측정도구: 카타한란계

(실내 공기의 기류와 공기의 냉각력 측정 도구, 최상눈금 100℉-최하눈금 95℉)

▸ 실외기류 측정은 풍차속도계, 아네모메타, 미토트튜브를 사용

(4) 복사열

적외선에 의한 열로, 열복사로 방출된 전자파가 물체에 흡수되어 물체를 데울 경우의 에너지로 복사열은 발열체로부터 거리의 제곱에 비례하여 온도가 감소. (측정도구: 흑구온도계로 15~20분간 측정)

3) 온열지수

온열요소들이 복합적으로 작용하여 만들어진 종합지수

(1) 감각온도

습도 100%에서 무풍상태(기류 0 m/sec)에서 동일한 온감을 주는 기온을 의미하며 기온, 기습, 기류의 3인자가 종합하여 나타내는 인체의 온감 지수. (최적감각온도: 겨울철 66℉, 여름철 71℉)

(2) 쾌감대

17~18℃의 온도, 60~65%의 습도, 0.5 m/sec 이하의 불감기류(성인이 옷을 입은 상태에서 쾌적함을 느끼는 범위)

(3) 불쾌지수(DI)

① 불쾌지수: 날씨에 따라 사람이 느끼는 불쾌감의 정도를 수치로 나타낸 것으로 기온과 습도의 영향을 받은 것(실내에서만 적용)

② 불쾌지수(DI)=(건구온도℃+습구온도℃)×0.72+40.6
불쾌지수(DI)=(건구온도℉+습구온도℉)×0.4+15

③ 불쾌지수와 불쾌감의 관계

- ▸ DI≥70: 약 10% 사람이 불쾌
- ▸ DI≥75: 약 50% 사람이 불쾌
- ▸ DI≥80: 거의 모든 사람이 불쾌
- ▸ DI≥85: 모든 사람이 견딜 수 없을 정도의 불쾌

(4) 등가온도지수(등온지수)

무풍, 기습 100%, 주위의 물체 표면온도가 기온과 동일한 t℉일 때를 기준으로 하여 이것과 등온 감각을 주는 기온, 기습, 기류, 복사열의 종합상태를 의미

(5) 카타냉각력

기온, 기습, 기류의 3가지 요소가 종합하여 인체의 열을 뺏는 힘을 의미

(6) 온열평가지수(습구흑구온도지수, WBGT지수)

기온, 기습, 복사열의 3가지 요소가 종합하여 나타내는 온열지수로 고열작업장 평가하는 지표로 많이 사용

(7) 지적온도(Optimum temperature)

생활하는 데 체온조절에 있어서 가장 적절한 온도를 의미하며 작업의 강도, 성별, 연령, 의복, 계절, 음식 등에 따라 다르게 나타난다. 지적온도에는 주관적 지적온도, 생산적 지적온도, 생리적 지적온도의 세 종류

① 주관적 지적온도: 쾌적감각온도, 감각적으로 가장 쾌적하게 느껴 지는 온도

② 생산적 지적온도: 최고생산온도, 작업생산능률을 최대로 올릴 수 있는 온도

③ 생리적 지적온도: 기능적 지적온도, 최소한의 에너지 소모로 최대의 생리학적 기능을 나타낼 수 있는 온도

4. 공기

지상으로부터 약 1,000 km까지의 대기층을 형성하고 있는 혼합가스로 생명체의 필수 물질이며 지구의 열 평형을 유지하는 중요한 요소

1) 공기의 구성

해발 40 km 내의 공기에서 99%는 질소와 산소로 구성, 1%는 그 외 다른 화학성분이 차지

(1) 질소(N_2)

① 공기 중의 약 78% 차지

② 불활성 기체로 정상 기압에서는 인체에 영향을 미치지 않으나 고압이나 감압 환경에서 인체에 치명적인 영향을 미칠 수 있다.

③ 잠함병: 감압병, 고압에서 저압으로 갑자기 감압할 때 체액 중 용해되어 있는 질소가 기체로 변하면서 기포를 형성하여 모세혈관에 혈전을 일으켜서 발생하는 현상으로 동통과 중추신경증상이 나타남

(2) 산소(O_2)

① 산소

- 공기 중의 약 21% 차지
- 혈액 내의 혈색소와 결합하여 조직으로 운반되어 체내의 물질 연소에 사용

② 저산소증

- 호흡기능의 장애로 체내 산소 분압이 14% 이하로 떨어진 상태
- 산소 10% 이하일 때 호흡곤란, 7% 이하일 때 질식사
- 고산병: 저산소증으로 두통, 어지러움, 위장관 증상, 피로감, 졸림, 뇌부종, 폐부종 초래하여 결국 호흡곤란에 의한 사망 발생

③ 산소중독: 기준보다 많은 산소를 함유한 기체를 호흡하여 일으키는 증세로 멀미, 현기증, 호흡곤란, 발작, 근육의 경련, 폐부종, 충혈, 저혈압 등 발생

(3) 이산화탄소(CO_2)

- 공기 중의 약 0.03% 차지하는 무색, 무취, 무자극성 기체
- 실내공기오염의 지표로 이용, 지구 온난화 원인
- 공기 중의 이산화탄소 농도 3% 이상일 때 불쾌감, 7% 이상일 때 호흡곤란, 10% 이상일 때 사망
- 실내 공기의 CO_2 서한량: 0.1%(1,000 ppm)

2) 실내공기 오염

(1) 군집독

① 장시간 동안 밀폐된 공간에 다수인이 모여 실내 공기의 물리 화학적인 변화로 두통, 구토, 오심, 현기증, 불쾌감, 권태감 등의 생리적 이상을 일으키는 것

② 예방법: 환기

(2) 일산화탄소 중독

① 탄소나 탄소화합물이 불완전 연소되면서 발생하는 무색, 무취, 무미, 비자극성 가스인 일산화탄소에 중독된 상태

② 실내 공기의 일산화탄소 허용한계(서한량): 0.001%(10 ppm) 실내 공기의 5~0.1% 단계에도 일산화탄소 중독 유발 가능

③ 산소에 비해 헤모글로빈과의 CO 결합력이 200~300배 강하여 헤모글로빈의 산소 결합력 빼앗아 → 저산소증 초래 → 일산화탄소 중독현상 유발

④ 혈중 CO-Hb의 농도

- ▸ 0~10% : 증상이 없음
- ▸ 10~20% : 경한 두통, 피부혈관 확장, 전두부 긴박감
- ▸ 20~30% : 현기증, 약간의 호흡곤란
- ▸ 30~40% : 심한 두통, 구역, 구토, 시력저하
- ▸ 40~50% : 근력감퇴, 허탈, 호흡 및 맥박증진
- ▸ 50~60% : 가사, 호흡 및 맥박증진, 혼수, 경련
- ▸ 60~70% : 혼수, 경련, 심장박동 및 호흡의 미약
- ▸ 70~80% : 맥박이 약하고 호흡이 느리며, 호흡정지 및 사망
- ▸ 80% 이상 : 즉사

(3) 새집증후군

① 새집에서 사용된 여러 휘발성 유기화합물 및 각종 발암물질로 거주자들이 느끼는 불쾌감이나 건강상 문제를 의미

② 새집증후군 원인: 벽지, 페인트, 바닥재, 새가구 등에서 나오는 포름알데히드, 자일렌, 톨루엔, 아세트알데히드, 클로로포름 등의 발암물질로 포름알데히드가 가장 영향력이 큼.

③ 장기간 노출 시 아토피성 피부염, 호흡기 질환, 심장병, 암 등 유발

④ 예방: 친환경 소재의 건축자재 사용, 입주 전 실내공기 가열 후 환기하는 Bake out 방법, 실내공기 환기 및 습도 온도 관리, 공기청정기 사용 등

5. 상수

1) 물의 자정작용

지표상의 오염된 물이 스스로의 자정작용으로 깨끗한 상태로 되돌아가는 현상

화학적 작용	산화, 환원, 중화, 흡착, 응집 등
생물학적 작용	미생물에 의한 유기물 분해와 식균
물리적 작용	폭기, 희석, 침전, 확산 등
살균 작용	자외선 살균

2) 수질관리

구분	측정항목	
정수장	매일검사 (6항목)	냄새, 맛, 색도, 탁도, 수소이온 농도, 잔류염소
	매주검사① (8항목)	일반세균, 총 대장균군, 대장균 또는 분원성 대장균군, 암모니아성 질소, 질산성 질소, 과망간산칼륨 소비량, 증발잔류물
	매월검사② (52항목)	소독제 및 소독부산물질 중 분기검사 항목 제외
	매분기 (6항목)	8개 소독부산물 중 6개 항목(잔류염소, 클로랄하이드레이트, 디브로모아세토니트릴, 디클로로아세토니트릴, 트리클로로아세토니트릴, 할로아세틱에시드)
수도꼭지	매월검사 (5항목)	일반세균, 총 대장균군, 대장균 또는 분원성 대장균군, 잔류염소
수도관 노후지역 수도꼭지	매월검사 (11항목)	일반세균, 총 대장균군, 대장균 또는 분원성 대장균군, 암모니아성 질소, 철, 동, 아연, 망간, 염소이온, 잔류염소
장급수과정별 시설	매분기검사 (12항목)	일반세균, 총 대장균군, 대장균 또는 분원성 대장균군, 암모니아성질소, 총트리할로메탄, 동, pH, 아연, 철, 탁도, 잔류염소

마을 · 전용상수도 소규모급수시설	분기검사③ (16항목)	일반세균, 총 대장균군, 대장균 또는 분원성 대장균군, 암모니아성 질소, 질산성 질소, 냄새, 맛, 색도, 탁도, 불소, 망간, 알루미늄, 잔류염소, 보론 및 염소이온(해수에 한함)
	연 전항목검사 (58항목)	먹는물 수질기준 전 항목
먹는물 공동시설	매분기검사④ (7항목)	일반세균, 총 대장균군, 대장균 또는 분원성 대장균군, 암모니아성 질소, 질산성 질소, 과망간산칼륨 소비량
	매년검사 (48항목)	먹는물 수질기준 전항목(소독제 및 소독부산물질 제외)

① 일반세균, 총 대장균군, 대장균 또는 분원성 대장균군 항목은 반드시 매주 1회 이상 검사, 기타 항목은 지난 1년간의 수질검사 결과에 따라 매월 1회 이상으로 조정하여 검사 가능

② 염소이온, 망간, 알루미늄 항목은 반드시 매월 1회 이상 검사를 실시하고, 기타 항목은 지난 3년간의 수질검사 결과에 따라 매분기 1회 이상으로 조정하여 검사 가능

③ 지난 3년 간의 수질검사 결과에 따라 매 반기 1회 이상으로 조정하여 검사 가능

④ 3/4분기 중에는 매월 수질검사 실시

3) 상수도

(1) 상수원

① 지하수: 빗물이나 지표수가 지하로 침투한 물로 미생물과 유기물이 적고, 탁도가 낮아 좋으나 자정속도가 느리고 수량이 적다. 응용수로서 가장 적합

② 지표수: 우리나라 상수도의 급수원으로 가장 많이 사용되며 오염기회가 가장 많은 물로 하천, 호수, 강, 저수지 등의 물이다. 공기의 성분이 용해되어 있어서 용존 산소가 많음.

③ 천수(우수): 빗물, 눈, 우박으로 내리는 물로 각종 먼지나 세균 등을 함유하며 대기가 오염되면 산성비와 황사비 등의 문제로 불순물이 많아 오염이 많음.

(2) 상수처리 시설

① 도수 및 송수시설

ⓐ 취수: 수원지에서 필요한 원수를 확보하는 첫 단계 과정

ⓑ 도수: 수원지에서 취수한 물을 도수로를 통해 정수장으로 보내는 과정 설치 (도수시설: 모래 제거를 위한 침사지)

ⓒ 정수: 정수장에서 수질기준에 맞게 물을 정화하는 과정
스크린 → 침사 → 폭기 → 침전 → 여과 → 소독

ⓓ 송수: 정수장에서 처리된 정수된 물을 배수지까지 이송하는 과정(송수시설: 오염 관리 철저)

② 배수시설: 정수장에서 처리된 물을 배수지로부터 급수구역 내의 모든 수요자에게 분배하는 일로 외부로부터 오염되지 않도록 해야하며 비용이 가장 많이 소요

③ 급수시설

▸ 배수관을 시작으로 소비자에게 이르는 각종 급수 용구로 수도꼭지, 급수관, 급수 시설 밸브, 양수기 등

▸ 급수 방식: 직결식, 탱크식

(3) 상수처리 단계(정수법)

① 스크린

② 침사: 가라앉기 쉬운 모래나 토사 등을 제거

③ 폭기: 물 속 공기를 분무하는 과정으로 물 속 산소 증가로 물속에서 나오기 어려운 유해한 물질을 제거 할 수 있다. 냄새와 맛을 제거하기 위하여 활성탄을 이용

> **TIP!**
> **폭기의 기능**: 산소와 CO_2, H_3S, CH_4, NH_4 등과 교환하여 가스류를 제거하고 pH를 높이며 냄새와 맛을 제거하고 물의 온도를 냉각시킨다. 철과 망간 등을 제거한다.

④ 응집: 화학약품을 첨가하여 전기적 중화에 의한 반발력을 감소시키고, 입자를 충돌시켜서 입자끼리 뭉치게 함으로 침전시키기 위한 것

⑤ 침전: 물보다 밀도가 큰 고형물을 침강

▸ 보통침전: 완속침전, 유속을 느리게 하거나 정지시켜 부유물을 침전시키는 것으로 많은 시간 소요되며 중력에 의한 자연침강을 이용한 방법

▸ 약품침전: 급속침전, 응집제를 주입하여 침전시키는 방법으로 소요 시간이 짧아 대도시에서 주로 사용하는 방법

⑥ 여과: 유동성 있는 물 속의 부유물질, 무생물 등의 혼합물을 모래나 자갈 등의 층을 통과시켜 제거, 감소시키는 방법

Check Point.

	완속여과법	급속여과법
유래	영국식 여과법	미국식 여과법
여과속도	3 m/day로 느리다	120 m/day로 빠르다
침전법	보통 침전법	약품 침전법
생물막 제거법	사면대치	역류세척
면적	광대한 면적	좁은 면적
비용	건설비 많이 들고 경상비 적게 든다	건설비 적게 들고 경상비 많이 든다
세균 제거율	98~99%	95~98%
탁도 및 색도 높을 때	불리하다	좋다
수면이 동결되기 쉬운 장소	불리하다	좋다
전처리	필요	불필요

⑦ 소독: 침전-여과 과정으로 세균의 95~99%가 제거되지만 병원성 미생물의 제거 및 감소 과정으로 화학적 처리 방법에 의한 소독이 필요하며 침전-여과 생략 가능해도 소독은 필수

ⓐ 염소 소독(화학적 소독, 가장 많이 이용하는 소독법)

▸ 음용수 소독제: 염소제인 액화염소, 표백분, 이산화염소 등을 살균소독제로 사용

▸ 우수 잔류효과, 강한 소독력, 경제적이고 조작방법이 간단하다는 장점이 있으나 THM(트리할로메탄)이라는 독성 발암물질 형성, 냄새 발생, 바이러스 미사멸 등의 단점

▸ 염소의 강한 산화력이 환원성 물질이나 유기물에 접촉하면 살균력이 소모되어 잔류염소가 필요. 유리잔류염소량 기준치(수도꼭지)는 1 ppm(결합잔류염소는 0.4 ppm) 이상이 되어야 하며, 병원성 미생물에 의해 단물이 오염되었거나 오염 우려 시 0.4 ppm(결합잔류

TIP!

잔류염소: 불연속점(break point)가 지날 때까지 염소를 넣어주는 것을 말하며 불연속점은 염소를 소독할 때 환원성 물질이나 유기물이 산화되면서 잔류염소가 감소되다가 산화가 끝나면 증가하게 되는 전환점을 의미한다. 불연속점 이전의 잔류염소를 결합잔류염소라 하며 이 후의 잔류염소를 유리잔류염소라고 한다. 유리잔류염소가 결합잔류염소보다 살균력이 높다.

염소는 1.8 ppm) 이상

▶ 염소 소독시 살균력에 영향을 주는 요소: 염소농도와 접촉시간, 온도는 높아야 하고, pH는 낮아야 살균력이 높음.

ⓑ 오존(O_3) 소독

▶ 강력한 살균력, 고도 기술 필요, 비용 증대, 잔류효과가 없어 2차 오염 발생 가능 등

▶ 오존은 무색의 독특한 냄새를 갖는 기체로 살균 후 수중에 남지 않아 냄새가 없는 살균제

ⓒ 가열 소독: 100℃ 끓는 물에 15~20분 가열하는 자비소독으로 가장 안전한 소독법이지만 소규모의 음료수에만 작용

ⓓ 자외선 소독: 무미, 무취이고 인체에 해가 없으며 살균력이 좋다. 투과력이 약하여 물이 혼탁할 때 표면만 소독되어 사용가치가 적고 가격이 비쌈. 병원이나 제약회사의 무균실 소독 등에 사용

ⓔ 표백분 소독: 수영장, 공동 급수시설, 우물 등

⑧ 특수정수법: 경수연화법, 철 및 망간 제거법, 불소주입법, 조류 제거법 등

4) 먹는물 수질기준 및 검사 등에 관한 규칙(제2조 관련)

(1) 미생물에 관한 기준

① 일반세균은 1 mL 중 100 CFU(Colony Forming Unit)를 넘지 아니할 것. 다만, 샘물 및 염지하수의 경우에는 저온일반세균은 20 CFU/mL, 중온일반세균은 5 CFU/mL를 넘지 아니하여야 하며, 먹는샘물, 먹는염지하수 및 먹는해양심층수의 경우에는 병에 넣은 후 4℃를 유지한 상태에서 12시간 이내에 검사하여 저온일반세균은 100 CFU/mL, 중온일반세균은 20 CFU/mL를 넘지 아니할 것

② 총 대장균군은 100 mL(샘물 · 먹는샘물, 염지하수 · 먹는염지하수 및 먹는해양심층수의 경우에는 250 mL)에서 검출되지 아니할 것. 다만, 제4조 제1항 제1호 나목 및 다목에 따라 매월 또는 매 분기 실시하는 총 대장균군의 수질검사 시료(試料) 수가 20개 이상인 정수시설의 경우에는 검출된 시료 수가 5%를 초과하지 아니하여야 한다.

③ 대장균 · 분원성 대장균군은 100 mL에서 검출되지 아니할 것. 다만, 샘물 · 먹는샘물, 염지하수 · 먹는염지하수 및 먹는해양심층수의 경우에는 적용하지 아니한다.

④ 분원성 연쇄상구균 · 녹농균 · 살모넬라 및 쉬겔라는 250 mL에서 검출되지 아니할 것(샘물 · 먹는샘물, 염지하수 · 먹는염지하수 및 먹는해양심층수의 경우에만 적용한다)

⑤ 아황산환원혐기성포자형성균은 50 mL에서 검출되지 아니할 것(샘물 · 먹는샘물, 염지하수 · 먹는염지하수 및 먹는해양심층수의 경우에만 적용한다)

⑥ 여시니아균은 2 L에서 검출되지 아니할 것(먹는물 공동시설의 물의 경우에만 적용한다)

(2) 건강상 유해영향 무기물질에 관한 기준

① 납은 0.01 mg/L를 넘지 아니할 것

② 불소는 1.5 mg/L(샘물 · 먹는샘물 및 염지하수 · 먹는염지하수의 경우에는 2.0mg/L)를 넘지 아니할 것

③ 비소는 0.01 mg/L(샘물 · 염지하수의 경우에는 0.05 mg/L)를 넘지 아니할 것

④ 셀레늄은 0.01 mg/L(염지하수의 경우에는 0.05mg/L)를 넘지 아니할 것

⑤ 수은은 0.001 mg/L를 넘지 아니할 것

⑥ 시안은 0.01 mg/L를 넘지 아니할 것

⑦ 크롬은 0.05 mg/L를 넘지 아니할 것

⑧ 암모니아성 질소는 0.5 mg/L를 넘지 아니할 것

⑨ 질산성 질소는 10 mg/L를 넘지 아니할 것

⑩ 카드뮴은 0.00 5 mg/L를 넘지 아니할 것

⑪ 붕소는 1.0 mg/L를 넘지 아니할 것(염지하수의 경우에는 적용하지 아니한다)

⑫ 브롬산염은 0.01 mg/L를 넘지 아니할 것(수돗물, 먹는샘물, 염지하수 · 먹는염지하수, 먹는해양심층수 및 오존으로 살균 · 소독 또는 세척 등을 하여 먹는물로 이용하는 지하수만 적용한다)

⑬ 스트론튬은 4 mg/L를 넘지 아니할 것(먹는염지하수 및 먹는해양심층수의 경우에만 적용한다)

⑭ 우라늄은 30 mg/L를 넘지 않을 것[수돗물(지하수를 원수로 사용하는 수돗물을 말한다), 샘물, 먹는샘물, 먹는염지하수 및 먹는물공동시설의 물의 경우에만 적용한다)]

(3) 건강상 유해영향 유기물질에 관한 기준

① 페놀은 0.005 mg/L를 넘지 아니할 것

② 다이아지논은 0.02 mg/L를 넘지 아니할 것

③ 파라티온은 0.06 mg/L를 넘지 아니할 것

④ 페니트로티온은 0.04 mg/L를 넘지 아니할 것

⑤ 카바릴은 0.07 mg/L를 넘지 아니할 것

⑥ 1,1,1-트리클로로에탄은 0.1 mg/L를 넘지 아니할 것
⑦ 테트라클로로에틸렌은 0.01 mg/L를 넘지 아니할 것
⑧ 트리클로로에틸렌은 0.03 mg/L를 넘지 아니할 것
⑨ 디클로로메탄은 0.02 mg/L를 넘지 아니할 것
⑩ 벤젠은 0.01 mg/L를 넘지 아니할 것
⑪ 톨루엔은 0.7 mg/L를 넘지 아니할 것
⑫ 에틸벤젠은 0.3 mg/L를 넘지 아니할 것
⑬ 크실렌은 0.5 mg/L를 넘지 아니할 것
⑭ 1,1-디클로로에틸렌은 0.03 mg/L를 넘지 아니할 것
⑮ 사염화탄소는 0.002 mg/L를 넘지 아니할 것
⑯ 1,2-디브로모-3-클로로프로판은 0.003 mg/L를 넘지 아니할 것
⑰ 1,4-다이옥산은 0.05 mg/L를 넘지 아니할 것

(4) 소독제 및 소독부산물질에 관한 기준(샘물 · 먹는샘물 · 염지하수 · 먹는염지하수 · 먹는해양심층수 및 먹는물공동시설의 물의 경우에는 적용하지 아니한다)

① 잔류염소(유리잔류염소를 말한다)는 4.0 mg/L를 넘지 아니할 것
② 총트리할로메탄은 0.1 mg/L를 넘지 아니할 것
③ 클로로포름은 0.08 mg/L를 넘지 아니할 것
④ 브로모디클로로메탄은 0.03 mg/L를 넘지 아니할 것
⑤ 디브로모클로로메탄은 0.1 mg/L를 넘지 아니할 것
⑥ 클로랄하이드레이트는 0.03 mg/L를 넘지 아니할 것
⑦ 디브로모아세토니트릴은 0.1 mg/L를 넘지 아니할 것
⑧ 디클로로아세토니트릴은 0.09 mg/L를 넘지 아니할 것
⑨ 트리클로로아세토니트릴은 0.004 mg/L를 넘지 아니할 것
⑩ 할로아세틱에시드(디클로로아세틱에시드, 트리클로로아세틱에시드 및 디브로모아세틱에시드의 합으로 한다)는 0.1 mg/L를 넘지 아니할 것
⑪ 포름알데히드는 0.5 mg/L를 넘지 아니할 것

(5) 심미적 영향물질에 관한 기준

① 경도는 1,000 mg/L(수돗물의 경우 300 mg/L, 먹는염지하수 및 먹는해양심층수의 경우 1,200 mg/L)를 넘지 아니할 것. 다만, 샘물 및 염지하수의 경우에는 적용하지 아니한다.

② 과망간산칼륨 소비량은 10 mg/L를 넘지 아니할 것

③ 냄새와 맛은 소독으로 인한 냄새와 맛 이외의 냄새와 맛이 있어서는 아니될 것. 다만, 맛의 경우는 샘물, 염지하수, 먹는샘물 및 먹는물공동시설의 물에는 적용하지 아니한다.

④ 동은 1 mg/L를 넘지 아니할 것

⑤ 색도는 5도를 넘지 아니할 것

⑥ 세제(음이온 계면활성제)는 0.5 mg/L를 넘지 아니할 것. 다만, 샘물 · 먹는샘물, 염지하수 · 먹는염지하수 및 먹는해양심층수의 경우에는 검출되지 아니하여야 한다.

⑦ 수소이온 농도는 pH 5.8 이상 pH 8.5 이하이어야 할 것. 다만, 샘물, 먹는샘물 및 먹는물공동시설의 물의 경우에는 pH 4.5 이상 pH 9.5 이하이어야 한다.

⑧ 아연은 3 mg/L를 넘지 아니할 것

⑨ 염소이온은 250 mg/L를 넘지 아니할 것(염지하수의 경우에는 적용하지 아니한다)

⑩ 증발잔류물은 수돗물의 경우에는 500 mg/L, 먹는염지하수 및 먹는해양심층수의 경우에는 미네랄 등 무해성분을 제외한 증발잔류물이 500 mg/L를 넘지 아니할 것

⑪ 철은 0.3 mg/L를 넘지 아니할 것. 다만, 샘물 및 염지하수의 경우에는 적용하지 아니한다.

⑫ 망간은 0.3 mg/L(수돗물의 경우 0.05mg/L)를 넘지 아니할 것. 다만, 샘물 및 염지하수의 경우에는 적용하지 아니한다.

⑬ 탁도는 1 NTU(Nephelometric Turbidity Unit)를 넘지 아니할 것. 다만, 지하수를 원수로 사용하는 마을상수도, 소규모급수시설 및 전용상수도를 제외한 수돗물의 경우에는 0.5 NTU를 넘지 아니하여야 한다.

⑭ 황산이온은 200 mg/L를 넘지 아니할 것. 다만, 샘물, 먹는샘물 및 먹는물공동시설의 물은 250 mg/L를 넘지 아니하여야 하며, 염지하수의 경우에는 적용하지 아니한다.

⑮ 알루미늄은 0.2mg/L를 넘지 아니할 것

(6) 방사능에 관한 기준(염지하수의 경우에만 적용한다)

① 세슘(Cs-137)은 4.0 mBq/L를 넘지 아니할 것

② 스트론튬(Sr-90)은 3.0 mBq/L를 넘지 아니할 것

③ 삼중수소는 6.0 Bq/L를 넘지 아니할 것

6. 하수

하수는 생활과정에서 발생하는 오수를 의미하는 것으로 가정하수, 산업폐수, 지하수, 분뇨 및 축산폐수, 빗물 등이 있다.

1) 하수도

(1) 하수도

하수를 운반하는 시설로 합류식, 분류식으로 구분

합류식 하수처리	빗물과 하수를 함께 운반하는 것으로 건설비가 적게 들고 수리 및 점검, 청소가 용이하다. 빗물에 의해 하수관이 자연적으로 청소되며 우기 시 범람의 우려가 있고 범람 시에는 비위생적이다. 계획 우수량을 산정할 수 없다.
분류식 하수처리	빗물과 하수를 별도로 운반하는 것으로 건설비가 많이 들고 수리 및 점검, 검사가 어렵다. 범람의 우려가 적다. 계획 우수량 산정이 가능하다.

(2) 하수처리

침수방지 및 수질오염을 예방

2) 하수처리 방법(예비처리 → 본처리 → 오니(슬러지)처리)

(1) 예비처리(물리적 처리, 1차 처리)

스크리닝 → 침사 → 침전

① 스크리닝(Screening): 유형이 큰 부유물질을 스크린으로 제거

② 침사법: 비중이 큰 토사, 금속 등의 물질을 가라앉히는 방법

③ 침전법: 중력을 이용하여 큰 부유물질을 침전시키는 방법

- ▸ 스토크 법칙(law of stoke) 적용
- ▸ 보통침전, 약품침전으로 구분

TIP!

스토크 법칙: 유체 속에서 부유물질과 같은 구형입자가 침강하는 속도를 표현하는 법칙

(2) 본처리(생물학적 처리, 2차 처리)

① 호기성 처리법: 산소를 공급하여 발생하는 호기성 균에 의하여 처리하는 방법 → CO_2 발생(호기성 처리로 가장 많이 발생하는 가스)

ⓐ 활성오니법(표준 활성 슬러지법)

- ▸ 침전지를 걸러 나온 하수에 활성슬러지를 하수량의 약 25%를 첨가하여 산소를 공급한 후 발생하는 호기성 미생물의 활동으로 유기물을 산화(분해)시키는 방법
- ▸ 생물학적 처리법 중 가장 발달한 방법으로 기계 조작이 어려워 고도의 숙련 기

술 필요하며 동력비 측면에서 비경제적이고 슬러지 발생량 많음. 온도에 민감하며 중금속 및 화학처리가 곤란함.

▶ 처리 면적이 작아도 가능하며 BOD 제거율 90% 이상

▶ 슬러지 팽화현상(Sludge bulking) 발생: 활성오니 처리 시 오니가 비정상적으로 팽화하여 침강석 및 응집성을 상실하여 최종침전지에서 활성오니의 침전분리가 곤란해지는 현상

▶ 대도시 하수 처리방법

ⓑ 살수여상법

▶ 침전 유출수를 고정된 여재 표면에 형성된 미생물 막과 접촉시켜 부유물질이 흡착되어 제거되고 용존성 유기물은 미생물에 의해 분해, 제거되는 방법

▶ 여재 표면: 호기성 분해, 여재 내부: 혐기성 분해

▶ 냄새 발생, 파리 번식 등의 유지관리 어렵고, 높은 수압 유지 및 넓은 면적이 필요하여 설치비가 많이 들지만 유지비는 적게 들고 수량 변화에 민감하지 않음. (슬러지 발생량 적음)

▶ 산업폐수 처리방법

ⓒ 그 밖에 산화지법, 회전원판법 등

Check Point.

	활성오니법	살수여상법	회전원판법	산화지법
BOD 제거율	90%	80%	80~90%	70~80%
소요면적	보통	보통	작다	크다
슬러지 발생량	많다	적다	적다	적다
유지비	많이 든다	적게 든다	많이 든다	적게 든다
특징	• 슬러지 팽화현상 발생 • 온도에 의한 영향이 크다. • 숙련된 기술 필요 • 동력소비가 크다. • 슬러지 반송이 필요	• 냄새 발생 • 겨울철 동결문제 발생 • 활성오니법에 비해 효율이 낮다. • 체류시간이 짧아 적정처리가 어렵다. • 처리정도를 조절하기 어렵다.	• 고농도의 폐수처리가 어렵다. • 13℃ 이상의 보온이 필요하다. • 기계 파열 위험이 있다.	• 냄새 발생 • 겨울철 동결문제 발생 • 모기 등 위생해충 발생 • 소요면적이 커서 적정처리가 어렵다.

② 혐기성 처리법: 폐수 등에 함유된 유기물들을 혐기성 균에 의해 분해하는 방법 → CH_4 발생(65~70%, 나머지 30%는 CO_2)

ⓐ 부패조

▶ 탱크 안에 하수를 넣어 무산소 환경을 조성하여 혐기성균의 분해작용을 촉진시켜 처리하는 방법

▶ 침전과 동시에 소화가 진행되며 소규모 하수처리에 사용되고 악취 발생

ⓑ 임호프 탱크(Imhoff tank):부패조의 결점 보완으로 개량하여 침전실과 오니 소화실(부패실)로 나누어 처리(이중탱크)된다. 소화실에서 냄새가 역류하여 밖으로 나오지 못하도록 고안

ⓒ 그 밖에 혐기성 소화법(메탄 발효법)이 있다.

③ 오니 처리(슬러지 처리): 하수처리 마지막 과정으로 소각, 퇴비화, 육상투기, 해양투기, 사상건조법, 소화법(가장 발전된 오니처리 방법, 건조 후 비료화) 등이 이용

7. 폐기물

1) 폐기물 개념

(1) 폐기물 정의

폐기물이란 쓰레기, 연소재, 오니, 폐유, 폐산, 폐알칼리, 동물의 사체 등으로써 인간의 생활이나 사업활동에 필요하지 아니하게 된 물질을 말한다.(폐기물관리법)

(2) 폐기물 분류

생활폐기물, 사업장폐기물, 의료폐기물, 지정폐기물 등으로 분류

(3) 폐기물 처리시설의 분류

① 중간처리: 소각, 중화, 파쇄, 고형화 등에 의한 처리

② 최종처리: 처분, 매립 등에 의한 처리

2) 폐기물 처리방법

(1) 매립법

① 폐기물을 저지대에 버린 후 복토를 덮는 방법으로 전 세계 고형 폐기물의 90% 이상이 처리하는 방법이고, 우리나라에서도 가장 많이 사용하는 방법

② 위생적인 매립방법

▶ 매립 경사: 30°

- ▸ 매립진개 두께: 1~2 m 이상
- ▸ 매립 복토두께: 15 cm ~ 30 cm
- ▸ 최종복토처리: 60 cm ~ 100 cm 두께
- ▸ 도량식 매립: 복토할 흙은 다른 곳에서 가져오지 않고 현장에서 2.5~7 m 정도 파서 폐기물을 묻은 후 복토하는 방식
- ▸ 경사식 매립: 경사면에 폐기물을 쌓은 후 복토하는 방식으로 경사 각도는 30°가 이상적
- ▸ 지역식 매립(저지대 매립): 복토할 흙을 다른 곳에서 가져와서 어느 지역에 폐기물을 살포 후 복토하는 방식

③ 복토: 폐기물 매립 시 침출수 유출의 방지, 위생해충 발생 방지 등의 이유로 복토를 함.

- ▸ 일일 복토: 하루의 매립작업이 끝난 후 복토하는 것으로 15 cm 이상의 두께로 다져 일일 복토함.
- ▸ 중간 복토: 매립작업이 7일 이상 중단되는 때에 복토하는 것으로 30 cm 이상의 두께로 다져 기울기가 2% 이상 되도록 중간복토함.
- ▸ 최종 복토: 매립이 완료된 후 복토하는 것으로 하부로부부터 가스 배제층, 차단층, 배수층, 식생대층으로 복토함. 가스배제층은 유기성 폐기물을 매립하여 가스가 발생하는 경우만 해당

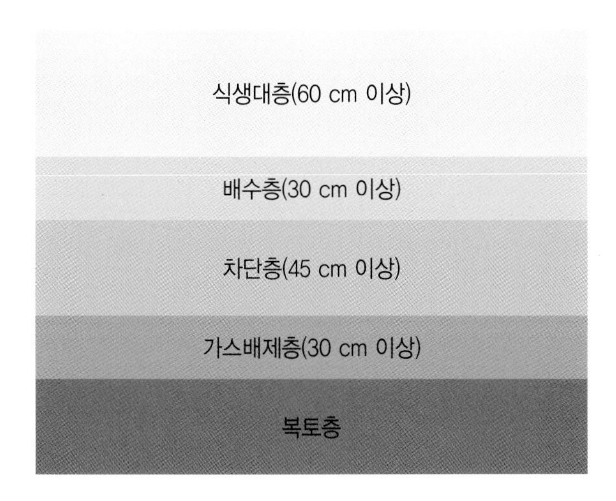

④ 폐기물매립 종료 후 주택 건축 시 30년 경과되어야 함.

⑤ 매립법의 장단점

장점	단점
• 매립 후 토지 재이용 • 발생되는 메탄가스의 에너지화 • 반입되는 폐기물 종류 무제약 • 성상이 다른 폐기물의 혼합매립 가능 • 경제적이며 처리방법이 쉬움	• 매립 과정에서 악취 발생 • 유해가스 발생 • 생활환경의 악화 • 토지 확보의 어려움 • 지하수 확보 곤란 • 혹한기와 홍수기 운영 곤란 • 주민의 님비현상으로 인한 갈등 • 환경오염(특히 수질오염) 등의 유발 가능

(2) 소각법

① 고온의 소각로에서 가연성 물질을 태우는 방법으로 가장 위생적인 방법이지만 대기오염의 문제가 발생

② 소각법의 장단점

장점	단점
• 가장 위생적인 방법 • 미생물 완전 멸균 가능 • 도시 중심부 설치 가능 • 기후의 영향을 거의 받지 않음. • 비교적 작은 부지면적이 소요 • 의료폐기물 처리에 사용 • 소각열 이용 가능 • 운송비 절감 효과	• 소각 장소 선정의 어려움. • 소각로 건설 및 유지 부담 • 전문 숙련공 • 대기오염 물질(분진, CO, SOx, NOx, 다이옥신 등) 배출 • 주민의 님비현상으로 인한 갈등 • 화재 위험 등의 문제

(3) 퇴비법 (비료화법)

① 유기 물질을 미생물에 의해 분해시켜 비료 등으로 재이용하는 방법

② 유기 물질이 호기성 세균에 의해 발효되며, 발효 과정에서 발열로 인해 세균, 기생충 사멸시킬 수 있음.

TIP!

퇴비화의 최적조건
1. 최적온도: 65~75℃
2. 수분: 50~70%
3. 산소공급: 호기성균
4. pH: 6~8
5. C/N: 30 내외

(4) 그 밖에 재활용, 투기, 분리, 압축처리, 파쇄법 등

8. 분뇨

1) 분뇨처리 목적

분뇨처리의 목적은 위생적인 처리로 인하여 소화기계 감염병과 기생충 질환을 예방하기 위함

2) 분뇨의 특징

① 분과 요의 비율은 1:10

② 다량의 유기물이 함유

③ 분뇨는 소화기계 감염병, 수인성 감염병, 기생충 질환 등을 유발

3) 변소의 종류

① 부패조 변소: 단순 저장 방법

② 화학적 변소: 이황화탄소(기생충알 사멸), 가성소다 사용하는 방법

③ 분뇨분리식 변소: 농촌에서 기생충 관리를 위해 사용하는 방법

④ 메탄가스 발생식 변소: 농촌의 연료문제 해결을 위해 사용하는 방법

⑤ 수세식 변소: 하수도 설비가 완비되어 분뇨를 하수처리장에서 처리하는 안전하고 깨끗한 방법

⑥ 수조식 변소: 분뇨정화조를 갖춘 수세식 변소로 대도시에서 주로 많이 사용하는 방법(부패조 → 예비 여과조 → 산화조 → 소독조)

4) 분뇨처리 방법

① 습식산화법(Zimpro 방식): 70~80기압의 고압 하에서 170~250℃의 고온을 가하여 산소를 충분히 공급한 후에 소각시키는 방법

장점	단점
• 재의 양이 소량이다. • 슬러지 양에 상관없이 잘 처리된다. • 위생적으로 병원균과 기생충 등이 완전 사멸된다. • 처리면적이 적어도 가능하다.	• 고도의 기술이 필요하며 비용이 많이 든다. • 냄새가 많이 난다. • 질소제거율이 낮다.

② 혐기성처리법(메탄발효법): 하수의 혐기성처리 원리와 동일

③ 소화처리법: 고혈물을 제거 후 건조하여 소각시키는 방법

④ 그 외에 저장법, 퇴비법, 정화조법, 해양투기법 등이 있음.

5) 분뇨정화조의 정화 순서

부패조 → 여과조 → 산화조 → 소독조

9. 집합소 위생

1) 공동시설 위생

(1) 수영장

① 수영장의 수질기준: 수영장의 욕수는 다음의 수질기준을 유지하여야 하며, 수질검사방법은 「체육시설의 설치 · 이용에 관한 법률 시행 규칙」에 따른 수질검사방법에 따른다.

- ▸ 유리잔유염소는 0.4 mg ~ 1.0 mg/L 범위 내에 있어야 한다.
- ▸ 수소이온농도는 5.8 ~ 8.6 이어야 한다.
- ▸ 탁도는 1.5 NTU 이하이어야 한다.
- ▸ 과망간산칼륨의 소비량은 12 mg/L 이하이어야 한다.
- ▸ 대장균군은 10 mL 들이 시험대상 욕수 5개 중 양성이 2개 이하이어야 한다.
- ▸ 비소는 0.05 mg/L 이하이고, 수은은 0.007 mg/L 이하이며, 알루미늄은 0.5 mg/L 이하이어야 한다.

(2) 공중목욕장

① 공중목욕장의 수질기준: 공중목욕장의 원수와 욕조수는 다음의 수질기준을 유지하여야 하며, 수질검사방법은 「공중위생관리법」에 따른 수질검사방법에 따른다.

ⓐ 원수

- ▸ 색도는 5도 이하로 하여야 한다.
- ▸ 탁도는 1 NTU 이하이어야 한다.
- ▸ 수소이온농도는 5.8 ~ 8.6 이어야 한다.
- ▸ 과망간산칼륨의 소비량은 10 mg/L 이하이어야 한다.
- ▸ 총대장균군은 100 mL 중에서 검출되지 않아야 한다.

ⓑ 욕조수

- ▸ 탁도는 1.6 NTU 이하이어야 한다.
- ▸ 과망간산칼륨의 소비량은 25 mg/L 이하이어야 한다.
- ▸ 대장균군은 1 mL 중에서 1개를 초과하여 검출되지 않아야 한다.

2) 주택 위생

(1) 주택 환경

① 대지

▶ 지형: 남향 또는 동남향의 언덕의 중간에 위치

▶ 지하수위: 최소 1.5 m 이상으로 3 m 정도가 적당

▶ 지질: 건조하고 침투성이 우수해야 하며 매립지 최소 10년 이상 경과

▶ 주위의 대기, 소음, 진동으로부터 자유로우며 교통의 용이

② 주택 구조

▶ 지붕: 방습, 방수, 방서, 방한, 방음, 방열이 우수

▶ 천장: 천장 높이는 2.1 m

▶ 마루: 통기를 고려하여 지면으로부터 45 cm 간격 유지

▶ 벽: 방서, 방습, 방한, 방화, 방음 고려

▶ 방의 배치: 거실, 침실, 어린이 방 등은 남쪽으로 하고 잘 사용하지 않는 화장실, 부엌 등은 북쪽으로 한다.

③ 최적온도

▶ 실내 최적온도: 16~18℃

▶ 실내 최적습도: 40~70%

▶ 실내외 온도차: 5~7℃

(2) 환기

① 자연환기

ⓐ 중력환기

▶ 실외에서 실내로 들어오는 공기는 아래쪽으로, 실내에서 실외로 나가는 공기는 위쪽으로 이동하여 환기

▶ 이상적인 창의 면적은 방바닥 면적의 1/20 이상

▶ 중성대: 들어오는 공기와 나가는 공기의 압력이 0으로 공기의 유입과 배출이 없게 되는 부분을 의미하며, 중성대의 위치가 아래일수록 환기가 잘 안 되고, 위쪽 일수록 환기량이 커진다.

ⓑ 풍력환기: 풍력을 이용한 환기

ⓒ 보조환기: 천장이나 지붕을 이용한 환기

② 인공환기

▶ 자연환기가 불가능한 건물에 인공적 환기 필요

▶ 공기조정법, 배기식 환기법, 송기식 환기법, 평형식 환기법

TIP!

인공환기법에서 고려할 사항

1. 취기와 오염된 공기는 빠르게 교환되어야 한다.
2. 온도와 습도의 조절로 생리적 쾌적감을 느끼도록 한다.
3. 교환된 실내 공기의 고른 분포가 필요하다.
4. 신선한 공기가 유입되어야 하며 환기로 인해 실내에 있는 사람에게 불쾌감을 주지 않아야 한다.
5. 일시에 많은 양의 찬 공기를 넣지 말아야 한다.
6. 작업장에서 10℃ 이하 시 근로자가 1 m/sec 이상 기류에 접촉해서는 안 된다.

(3) 조명

① 자연조명

ⓐ 창의 면적: 창의 면적은 방바닥 면적의 1/7 ~ 1/5가 이상적이며, 창의 위치는 세로로 높은 창이 가로로 긴 창보다 채광과 환기에 더 좋다.

ⓑ 창의 방향: 창의 방향은 남향이 좋고, 일조시간은 최소 4시간 이상으로 6시간이 이상적이다.

ⓒ 개각과 입사각

▶ 개각: 실내의 한 점 A와, 창틀의 위쪽 B를 연결하는 AB선과, 창밖에 있는 차광물의 상단 D와 연결하는 AD선이 이루는 각도를 말한다. 개각은 4~5도 이상이 좋고 개각이 클수록 밝다.

▶ 입사각: 실내의 한 점 A에서 창의 윗면 B를 맺은 AB와 A를 통과하는 수평선 AC와의 각도를 말한다. 입사각은 28도 이상이 좋고, 입사각이 클수록 밝다.

▶ 창의 채광 효과를 위해 입사각이 개각보다 커야 좋다.

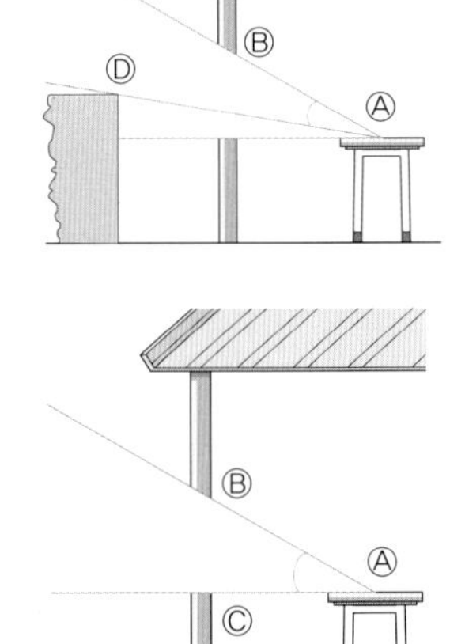

② 인공조명

ⓐ 인공조명의 방법

▶ 직접조명: 조명기구에서 직사광으로 비치는 조명으로 경제적이고 조명 효율이 좋으나 눈부심으로 눈의 피로가 있고 음영이 강하여 불쾌감을 유발할 수 있다.

▶ 간접조명: 조명기구에서 반사광으로 비치는 조명으로 눈의 피로가 적어 가장 이상적이나 비경제적이고 조명 효율이 좋지 않다.

▶ 반간접조명: 직사광과 반사광을 병행하여 비치는 조명으로 사무실에 적합한 방법이다.

ⓑ 인공조명의 표준 조명도

도서실, 정밀작업	사무실, 실험실, 교실	대합실, 식당, 강당	세면장, 화장실	조리실
600~1,500 lux	300~600 lux	150~300 lux	60~150 lux	50~100 lux

ⓒ 인공조명 선택

- ▸ 낮(200~1,000 lux), 밤(20~200 lux)
- ▸ 주광색에 가까운 광색, 간접조명, 좌상방에서 비출 것
- ▸ 조명도 균등하게 유지, 열발생이 적고 폭발, 발화 등의 위험이 적을 것
- ▸ 부적절한 조명 피해: 근시, 안정피로, 안구진탕증(탄광부), 작업 능률 저하 및 재해 발생, 백내장 등

④ 실내온도

ⓐ 이상적인 실내 온도와 습도

- ▸ 실내 온도: 18±2℃
- ▸ 실내 습도: 40~70%

ⓑ 실내 온도 10℃ 이하일 때 난방이 필요하고 실내 온도 26℃ 이상일 때 냉방이 필요

ⓒ 난방

- ▸ 국소난방: 히터나 난로 등의 온원을 실내에 두는 방법으로 편리하고 경제적이며 CO의 발생 가능성이 적으나 화재위험이 크고 실내공기를 오염시킴.
- ▸ 중앙난방(지역난방): 열원을 한 곳에 설치하고 배관을 통해 각장소에 보내는 방법으로 온수난방, 증기난방, 지역난방 등이 있다. 실내온도가 일정하게 조절 가능하고 실내공기의 오염은 없으나 설치비와 관리비가 많이 발생됨.

ⓓ 냉방

- ▸ 냉방 시 실내외 온도차가 5~7℃가 적당하고 10℃ 이상이면 냉방병 등으로 건강에 해로움.
- ▸ 국소냉방(에어컨, 선풍기, Room cooler), 중앙냉방(Carrier system)

10. 의복 위생

1) 의복의 목적

① 체온조절(의복의 목적 중 가장 중요)
② 신체의 청결과 보호
③ 사회생활에서의 예의 및 품격
④ 미화와 표식

2) 의복의 성격

(1) 열전도율

① 열전도율(Rubner): 동물의 털(6.1) < 견직물(19.2) < 마직(29.5)
함기성: 마직(50%) < 무명(70~80%) < 모직(90%) < 모피(98%)
② 피복의 함기성과 반비례

(2) 방한력

① 열 차단력을 의미하며 단위는 CLO
② 1 CLO: 기온 21℃, 기습 50% 이하, 기류 0.1 m/sec에서 피부온도가 33℃로 유지될 때 의복의 방한력

TIP!

방한력 좋은 순서
방한복(4 CLO) > 방한화(2.5 CLO) > 방한장갑(2 CLO) > 보통 작업복(1 CLO)

(3) 통기성

경직물과 마직이 모직이나 면직보다 높음.

3) 의복기후(의복을 입었을 때 쾌감을 줄 수 있는 기후)

① 안정시: 기온 32±1℃, 습도 50±10%, 기류 0.1 m/sec
② 보행시: 기온 30±1℃, 습도 45±10%, 기류 0.4 m/sec

11. 소독

1) 소독의 개념

① 소독: 미생물의 병원성을 약화시키거나 없애서 감염력 및 증식력을 없애는 방법
② 살균: 물리적, 화학적 자극을 가하여 미생물을 단시간에 멸살시키는 방법
③ 멸균: 강한 살균력을 작용시켜 모든 미생물을 완전히 사멸시키는 방법으로 멸균은 소독을 내포하지만 소독은 멸균을 의미하지 않음.

④ 방부: 병원성 미생물의 발육 및 생활을 정지시켜 특히 음식물 등의 부패나 발효를 방지하는 방법

▶ 소독력: 멸균 〉 살균 〉 소독 〉 방부

2) 소독 방법

(1) 물리적 소독법

① 습열 멸균법

▶ 저온살균법: 보통 63~65℃로 30분간, 혹은 75℃ 이상에서 15분간 가열하며 고온에서는 변화를 일으키거나 분해되는 물질(비타민, 단백질 등)을 함유하는 액체의 살균 또는 살모넬라균, 결핵균 등의 살균을 위해 사용하는 방법으로 파스퇴르에 의해 고안된 멸균법

▶ 고온단시간살균법: 75℃ 전후에서 15초간 가열

▶ 자비멸균법: 보통 100℃로 15~20분간 가열하며 식기류나 조리기구, 유리제품, 도자기류 등의 소독에 이용됐으나 아포나 간염바이러스 등 멸균되지 않아 현재는 잘 사용되지 않는 방법

▶ 고압증기멸균법 : 아포형성균의 멸균에 가장 이상적인 방법으로 모든 균과 미생물의 사멸이 가능한 고온, 고압의 멸균방법(일반적으로 15파운드: 121℃ , 15~20분 멸균방법 사용)으로 초자기구, 의류, 수술용 기구 등의 멸균에 사용

▶ 유통증기멸균법: 100℃의 유통증기를 30~60분간 가열하는 방법

▶ 초고온순간멸균법: 우유의 멸균 방법으로 135℃에서 2초간 가열하는 방법으로 영양물질의 파괴를 최소화하며 멸균처리 기간의 단축면에서 장점

② 건열 멸균법

▶ 화염멸균법: 백금선이나 배양기구의 면전 등 멸균하려는 물체를 불꽃으로 직접 가열하는 방법

▶ 건열멸균법: 유리기구, 주사기, 시험관, 플라스크 등을 건조기에 넣어 160~170℃에서 1~2시간 멸균하는 방법

③ 무가열 멸균법

▶ 자외선 멸균법: 살균력이 강한 자외선 2,800~3,200 Å을 이용한 소독법으로 수술실, 무균실, 제약실 등에서 사용됨.

▶ 그 외에 초음파 멸균법, 방사선 멸균법, 소각법, 세균여과법 등

TIP!

자외선은 2,540~2,800 Å에서 살균작용이 가장 강하다.

(2) 화학적 소독법

화학약품을 이용하는 방법으로 고압증기멸균법과 비슷하지만 물 대신 화학약품을 이용하여 소독하는 방법

① 이상적인 소독약 조건

- ▶ 석탄산 계수가 높아야 좋다.
  즉, 살균력이 강해야 한다.
- ▶ 독성이 없어야 한다
- ▶ 냄새가 독하지 않아야 한다.
- ▶ 안전성이 높아야 한다.
- ▶ 용해성, 침투성이 높아야 한다.
- ▶ 표백성, 부식성이 없어야 한다.
- ▶ 경제적이고 사용법이 용이해야 한다
- ▶ 사용 후 수세가 가능해야 한다.

TIP!

석탄산 계수

- 소독약의 살균력을 비교하기 위하여 쓰이는 것인데, 성상이 안전하고 순수한 석탄산을 표준으로하여, 어떤 균주를 10분 내에 살균할 수 있는 석탄산의 희석배수와 시험하려는 소독약의 희석배수의 비로 표시한다.
- 살균제의 효과를 석탄산의 효력과 비교하여 계산한 것으로 석탄산 계수가 높을수록 소독 효과가 뛰어나다.
- 소독약의 희석배수 / 석탄산의 희석배수

② 살균작용에 따른 소독약의 종류

- ▶ 가수분해작용: 강산, 강알칼리, 열탕수
- ▶ 산화작용: 염소, 과산화수소, 과망간산칼륨, 오존
- ▶ 탈수작용: 알코올, 포르말린, 식염, 설탕
- ▶ 균체 단백 응고작용: 크레졸, 승홍, 알코올, 포르말린, 석탄산
- ▶ 균체효소 불활성화작용: 알코올, 석탄산, 중금속염, 역성비누
- ▶ 균체 내 염의 형성작용: 승홍, 질산은, 중금속염
- ▶ 균체막의 삼투압 변화작용: 석탄산, 중금속염, 염화물

③ 소독약의 종류 및 특성

소독약	수용액 농도	특성
알코올	메틸알코올: 75% 에틸알코올: 70%	• 피부 및 기구 소독(메틸알코올) • 상처, 눈, 비강, 구강, 음부 등의 점막에는 사용하지 않는다.
과산화수소	3~3.5%	• 구내염, 인두염, 상처 소독과 구강세척제로 사용 • 자극성이 적고 밝은 곳에 두면 쉽게 분해되어 갈색병에 보관한다. • 무아포균에 효과적이다.
크레졸	3%	• 손, 식기, 배설물, 객담, 화장실 등 소독 • 세균의 소독력이 크고 유기물이 있어도 소독력이 약화되지 않는다. 냄새가 강하다. 살균력이 석탄산의 2배이다.

석탄산	3~5%	• 병원의 오염의류, 용기, 실험대, 배설물 등의 소독방역용으로 사용 • 장점: 살균력이 안정되고 유기물에도 소독력이 약화되지 않는다. • 단점: 냄새와 독성이 강하고, 금속부식성이 있으며, 피부점막에 자극성과 마비성이 있다. 온도가 낮아지면 효과가 떨어진다.
포르말린	35% formaldehyde 수용액	• 방부제, 선박 등 소독 • 발암 물질이어서 잘 사용하지 않지만 세균단백질을 응고시키는 강한 살균력이 있다.
승홍	0.1%	금속부식성이 강하다. 손소독에 사용
역성비누	0.01~0.1%	• 손, 수저, 식기, 도마, 행주, 식품 소독 • 무색, 무미, 무해하여 식품소독에 사용되고 자극성과 독성이 없으며 살균력과 침투력이 강하다. 경제적이다.
약용비누		• 손, 피부, 두피 소독 • 비누에 각종 살균제를 첨가한 것으로 비누의 세척효과와 살균작용을 동시에 할 수 있다. 독성이 약하고 피부를 상하지 않게 하며 저농도로 항균력이 강하고 소독 효과가 좋다.
머큐로크롬	2%	• 피부 점막 및 상처 소독 • 살균력은 약하지만 지속성이 있고 자극성이 없다.
생석회	분말(생석회에 물을 가하면 발열되어 소독작용을 일으킴)	• 분변, 하수, 오수, 토사물, 오물, 변소 소독
표백분	유효염소 30% 이상	• 목욕탕, 수영장 등 소독

제10장 환경오염

1. 환경오염의 이해

1) 환경오염 및 환경보전의 개념

① 환경오염: 인간의 활동에 의한 인위적인 원인으로 인해 물, 공기, 토양 등이 오염되어 자연환경 손상과 지역사회 주민의 건강 및 재산 등의 피해를 가져오는 생활환경을 손상시키는 현상

② 환경보전: 환경오염으로부터 환경을 보호하고 개선하여 쾌적한 상태를 유지, 조성하기 위한 노력을 의미

③ 환경오염 종류: 대기오염, 수질오염, 토양오염, 지구온난화, 방사능오염, 소음 및 진동, 악취 등

④ 환경오염 심화 요인: 인구 증가, 환경 변화, 산업발달, 도시 집중화, 신기술 개발에 따른 환경 파괴, 경제 성장, 환경 자원의 고갈, 환경보전에 대한 의식 결여 등

2) 환경보전을 위한 국제적 노력

국제협약명	개최시기	주요내용
람사르협약	1971년	• 국제습지조약, 물새 서식지 습지보호 • 보호대상 습지 지정, 람사르습지 목록 관리 및 관련 정보 상호 교환
스톡홀름회의	1972년	• 세계 최초의 인간환경회의 개최 • '인간환경선언' 선포: "오직 하나뿐인 지구"
런던협약	1972년	• 해양오염 방지 협약 • 폐기물 투기에 의한 해양오염 방지를 위한 각국의 의무 규정
유엔환경계획 창설	1972년	• 유엔환경계획(UNEP): 지구 환경문제를 다루기 위해 국제연합이 산하에 창설한 환경문제전담 국제기구 • 유엔의 환경정책 수립, 환경관련 국제협력, 지구환경 감시 등 환경문제 해결의 핵심 역할 담당
비엔나협약	1985년	• 오존층 파괴 원인물질의 규제
몬트리올 의정서	1987년	• 오존층 파괴물질의 규제에 관한 국제협약 • 염화불화탄소 CFC와 할론 규제
바젤협약	1989년	• 유해폐기물의 국가 간 이동 및 그 처리의 통제에 관한 협약
브라질의 리우환경회의	1992년	• '리우선언'과 '의제21' 채택 • 지구온난화 방지 협약(기후변화 협약 채택) • 생물다양성 보존 협약

사막화 방지협약	1994	• 심각한 한발 또는 사막화를 경험한 국가들의 사막화 방지를 통한 지구환경보호
교토의정서	1997년	• 기후변화협약에 따른 온실가스 감축목표에 관한 의정서 • 6대 온실가스: 이산화탄소(CO_2), 메탄(CH_4), 아산화질소(N_2O), 불화탄소(PFC), 수소화불화탄소(HFC), 불화유황(SF_6)
스톡홀름 협약	2001년	• 잔류성유기오염물질에 관한 협약 • 환경호르몬 규제 • 잔류성 유기오염물질: 산업생산 공정이나 폐기물 저온 소각 과정에서 발생하는 물질로 자연환경에서 분해되지 않고 먹이 사슬을 통해 동식물 체내에 축적되어 면역체계 교란이나 중추신경계 손상 등을 초래하는 유해물질이다.
나고야의정서	2010년	• 생물다양성 협약 적용범위 내의 유전자원과 관련된 전통지식에의 접근과 이 자원의 이용으로 발생하는 이익 공유
도하 기후변화협약	2012년	• 지구온난화를 규제 · 방지하기 위한 협약 • 교토의정서 합의내용을 2020년까지 8년간 연장합의
파리 기후변화협약	2015년	• 지구온난화를 규제 · 방지하기 위한 협약 • 2100년까지 지구온도 상승을 2도 이내로 유지
발리로드맵	2015년	• 2007년 12월15일 기후변화협약 제13차 당사국 총회에서 채택한 합의문 • 온실가스 감축관련 기후변화협약

2. 대기오염

1) 대기오염의 개념

대기 중에 인위적으로 배출된 오염물질이 한 가지 또는 그 이상 존재하여 오염물질의 양, 농도 및 지속시간이 어떤 지역의 불특정 다수인에게 불쾌감을 일으키거나 해당지역에 공중보건상 위해를 끼치고 인간이나 동식물의 활동에 해를 주어 생활과 재산을 향유할 정당한 권리를 방해 받는 상태(WHO)

2) 대기오염물질

(1) 1차 오염물질

공장의 굴뚝이나 자동차의 배기관 등의 발생원으로부터 직접 대기중에 배출되는 물질로 입자상 물질과 가스상 물질로 구분

① 입자상 물질

▶ 분진(먼지, Dust): 공장 등의 각종 작업장이나 대기 중에 장시간 부유하는 미세한

고체상의 입자상 물질로 입자의 크기는 1~100 μm

▶ 연무(Mist): 수증기의 응축에 의해 생성되어 공기 속에 부유상태로 존재하는 액체 입자로 입자의 크기는 0.5~3.0 μm

▶ 매연(Smoke): 불완전 연소로 생성되며 연료가 연소할 때 발생되는 유리탄소 및 미세 입자 물질의 응결체로 입자의 크기는 0.01~1.0 μm

▶ 스모그(Smog): 대기 중에서 일어난 광화학반응에 의해 만들어진 가스의 응축과정에서 생성되며 크기는 1 μm 이하

▶ 박무(Haze): 시야를 방해하는 입자상 물질로 먼지, 오염물질, 수분 등으로 구성되며 크기는 1 μm 이하

▶ 비산재(Fly ash): 연료가 연소할 때 발생하는 재와 불완전 연소된 연료 성분이 굴뚝연기 내의 부유상태로 존재하다가 배출되는 물질

▶ 그 밖에 훈연, 안개, 검댕 등

② 가스상 물질

ⓐ 일산화탄소(CO)

▶ 화석연료와 자동차 배기가스가 주된 발생원으로 불완전 연소에 의해 발생하는 무색, 무미, 무취의 가스

▶ 일산화탄소의 헤모글로빈(Hb)과의 친화력이 산소에 비해 200~300배 높아 $Hb+O_2$ 결합을 방해하여 저산소증 또는 산소결핍증을 초래하는 일산화탄소 중독이 발생함.

▶ 보건학적 허용한계: 0.01%(실내공기), 허용기준치: 0.001%

ⓑ 황산화물(SOx)

▶ 경유를 사용하는 자동차 및 정유공장이나 석탄 및 석유계의 연소 과정이 주된 발생원으로 이산화황(아황산가스, SO_2), 삼산화황(SO_3), 아황산(H_2SO_3), 황산(H_2SO_4) 등이 대표적임.

▶ 이산화황(아황산가스, SO_2): 대기오염 지표물질, 산성비의 주요원인, 황산화물의 대부분이 이산화황(아황산가스), London형 스모그의 원인물질

▶ 인체에 미치는 영향: 각종 호흡기질환(호흡곤란, 기관지염, 폐기종, 천식, 폐렴 등), 빈혈, 시각장애, 손발 저림, 뇌세포 파괴로 인한 의식 둔화 등

ⓒ 질소산화물(NOx)

▶ 고온, 고압의 연소실에서의 연소과정에서 대기 중의 질소와 산소가 결합하여 발생하는 대기오염물질로 주로 일산화질소(NO)와 이산화질소(NO_2)가 대표적임. 호흡기 질환을 일으키며 자동차의 배기가스나 발전소의 화석연료 사용 등이 주 배출원으로 작용

▸ 이산화질소(NO_2): 산성비의 발생원인이 되며 일산화질소가 산소와 결합된 형태로 적갈색의 가스 형태이며 일산화질소에 비하여 독성이 약 5배 정도 강함. 주 배출원은 화석연료 사용하는 발전소나 산업시설, 자동차 배기가스이다. 광화학적 스모그현상 발생

④ 탄화수소(HC): 연료의 연소과정, 자동차의 배기가스, 공업공정 등에서 발생하며 질소산화물과 함께 광화학반응을 일으켜 2차적으로 오존, PAN 등의 오염물질 생성함.

(2) 2차 오염물질

1차 오염물질이 대기 중에서 오염물질 간의 상호작용이나 자외선이나 가시광선의 영향을 받아 물리, 화학적으로 반응하여 2차적으로 새롭게 생성한 물질로 PAN, O_3, H_2SO_4, SO_3, NOCl, H_2O_2, PBN 등

① 오존(O_3)

ⓐ 자동차나 공장의 배기가스 등에 포함된 1차 오염물질들이 질소산화물, 탄화수소 등과 광화학 반응을 일으켜 발생하는 2차 오염물질

ⓑ 강력한 산화제로 살균 및 소독에도 사용

ⓒ 지구대기 성층권에서 주로 존재하며 오존층은 성층권에서 많은 양의 오존이 있는 높이 25~30 km 사이에 해당하는 부분으로 자외선을 차단하는 역할을 하고 대류권에서의 오존은 지구온난화를 촉진시키는 역할

ⓓ 오존이 발생하기 쉬운 기상조건: 바람이 없는 상태(지상의 평균풍속 3.0 m/sec 미만)의 햇빛이 강한 여름 날씨에 주로 발생, 쾌청한 날씨가 지속될 경우

ⓔ 대기환경기준 오존 농도: 1시간 평균치 0.1 ppm 이하

▸ 오존주의보: 오존 평균치 0.12 ppm 이상일 때 발생하며 실외활동 자제하고(특히 노약자) 대중교통을 이용하도록 주의

▸ 오존경보: 오존 평균치 0.3 ppm 이상일 때 발생하며 각급 학교의 실외활동 및 운동경기 등을 제한하고 자동차 사용의 제한명령, 사업장 연료사용량 감축 등을 권고

▸ 오존중대경보: 오존 평균치 0.5 ppm 이상일 때 발생하며 실외활동 금지하고 자동차의 통행금지 등

ⓕ 기침, 가슴통증, 눈과 목의 자극, 소화 불량, 기관지염, 심장질환, 폐기종, 천식, 폐출혈, 폐기종, 폐렴 등을 유발

② 알데하이드류: 강한 자극성의 가스로 눈, 기도 점막 자극, 중추신경 마취작용, 조직 염증, 흉부 압박, 식욕상실, 불면 등을 유발

③ 스모그

ⓐ 대기 중의 안개모양으로 오염된 상태로 연기와 안개의 합성어

ⓑ 불완전연소가 원인이며 대기 중에 광화학 반응에 의해 생성된 가스의 응축과정에서 생성

Check Point.

	LA형 스모그	London형 스모그
발생 원인	고농도 산화물에 의한 산화형 스모그, 자동차 배기가스	아황산가스 주원인으로 석탄가스 사용, 매연 및 안개에 의한 환원형 스모그
인체 영향	눈과 목의 자극	가래, 기침, 호흡기 질환
발생 시간	낮	이른 아침
발생 온도	24~32℃	−1~4℃
발생 습도	70% 이하	85% 이상
풍속	5m 이하	무풍
역전 종류	침강성 역전	복사성(방사성) 역전
발생 월	8월, 9월	12월, 1월
주요 성분	O_3, CO, NO_2, 유기물	SOX, CO, 입자성 물질

3) 대기의 환경기준

(1) 대기환경기준

① 인체에 미치는 영향, 오염현황 등을 고려하여 인간의 건강 보호와 생활환경 보전을 위한 바람직한 기준

② 우리나라 대기환경기준(환경정책기본법 시행령)

항목	기준	측정방법
아황산가스 (SO_2)	연간 평균치 0.02 ppm 이하 24시간 평균치 0.05 ppm 이하 1시간 평균치 0.15 ppm 이하	자외선 형광법 (Pulse U.V. Fluorescence Method)
일산화탄소 (CO)	8시간 평균치 9 ppm 이하 1시간 평균치 25 ppm 이하	비분산적외선 분석법 (Non Dispersive Infrared Method)

이산화질소 (NO_2)	연간 평균치 0.03 ppm 이하 24시간 평균치 0.06 ppm 이하 1시간 평균치 0.10 ppm 이하	화학 발광법 (Chemiluminescence Method)
미세먼지 (PM-10)	연간 평균치 50 ㎍/㎥ 이하 24시간 평균치 100 ㎍/㎥ 이하	베타선 흡수법 (βRay Absorption Method)
초미세먼지 (PM-2.5)	연간 평균치 25 ㎍/㎥ 이하 24시간 평균치 50 ㎍/㎥ 이하	중량농도법 또는 이에 준하는 자동 측정법
오존(O_3)	8시간 평균치 0.06 ppm 이하 1시간 평균치 0.1 ppm 이하	중량농도법 또는 이에 준하는 자동 측정법
납(Pb)	연간 평균치 0.5 ㎍/㎥ 이하	원자흡광 광도법 (Atomic Absorption Spectrophotometry)
벤젠	연간 평균치 5 ㎍/㎥ 이하	가스크로마토그래피 (Gas Chromatography)

(2) 배출허용기준

배출시설에서 발생하는 오염물질의 최대허용치 또는 최대허용농도가 되는 법정 허용기준을 의미

4) 대기오염과 기상

(1) 열섬 현상

① 도시의 포장도로 증가로 인한 복사열의 증가, 자동차나 건물의 냉난방시설로 인한 열 생산, 공장과 대형건물의 불규칙한 지면 형성으로 자연적인 공기의 흐름이나 바람이 차단되어 도심의 기온상승(시골보다 2~5℃ 더 높음), 비와 안개가 발생하는 현상

② 열섬 현상에 따른 대기오염: 도시주위로 찬바람이 지표로 흐르고 따뜻한 공기는 상승하여 대기오염물질과 만나 먼지지붕을 형성, 태양열에 의한 지표가 열을 방해하여 공기 수직이동이 감소되어 오염 심화 현상

③ 여름보다 가을, 겨울에 주로 발생하며 고기압 상태, 밤에 발생

TIP!
바람 불지 않는 맑은 날 밤에 지표의 복사 냉각으로 형성

(2) 기온역전

① 정상적인 대기의 경우 대류권에서 고도가 100 m 상승할 때마다 약 1℃ 하강하는데 고도가 상승함에 따라 기온도 상승하여 공기의 층이 반대로 되어 대기는 고도로 안정화되고 공기의 수직 확산이 일어나지 않아 공기의 대류가 일어나기 어렵고 따라서 오염물질이 침체되어 대기오염이 증가하게 되는데 이를 기온역전이라고 하며 복사성 역전과 침강성 역전으로 구분

② 대기환경오염의 주요 요인

③ 현상: 안개, 서리, 이슬, 스모그

(3) 황사 현상

① 중국이나 몽골의 사막지대와 황토지대의 작은 모래나 황토 또는 먼지가 하늘에 떠다니다가 상층 바람을 타고 멀리는 한국, 일본, 태평양 등까지 떨어지는 현상

② 발생 질환: 시정 장애, 안과 질환, 호흡기 질환 등

③ 산성비를 중화시키고 토양 및 호수의 산성화를 방지하며 식물과 해양 플랑크톤에 유기염류를 제공하는 이점도 있음.

5) 대기오염의 영향

(1) 지구 온난화

① 온실효과

▸ 개념: 대기 중의 온실가스는 지표로부터 적외선을 흡수하여 열의 방출을 차단하고, 흡수한 열을 다시 지상으로 복사하여 지표와 대류권 기온을 상승시키는데 이러한 현상을 의미

▸ 온실가스(온실효과 유발물질): 이산화탄소(66%), 메탄(15%), 염화불화탄소(8%), 아산화질소(3%) 등

▸ 온실효과 관련 협약: 교토의정서, 유엔기후변화협약

② 원인: 대기 중의 오존, 이산화탄소, 이산화질소, 메탄, 염화불화탄소 등의 온실기체 농도가 증가하여 발생

③ 지구온난화의 결과: 이상기온, 기온상승, 생태계의 파괴와 변화, 해면의 수위상승, 저지대 수몰, 수자원에 악영향, 농업과 산림피해, 육지의 감소로 인한 거주지 및 식량생산 감소, 전염병 발생 증가, 엘리뇨 현상 등

④ 엘리뇨

▶ 개념: 남아메리카 페루 및 에콰도르 서부 열대해상에서 불규칙적으로 보통 2~6년에 한 번씩 이상 난수가 침입하여 수온이 평년보다 0.5℃ 이상 높아지는 해류의 이변현상이다. 스페인어로 '아기 예수' 또는 '작은 사내아이'라는 뜻 (주로 9월에서 3월 사이에 발생)

▶ 원인: 적도부근 무역풍의 약화

▶ 결과: 해수면 온도 평년보다 상승, 대기 대순환에 영향을 주어 세계 각 지역의 이상기후 발현

TIP!

라니냐: 엘리뇨의 반대현상. 적도부근 무역풍의 강화로 동태평양의 난수층 두께가 얇아져 수온 및 해수면의 하강현상으로 동남아시아에 장마, 중남미에 가뭄, 미국에서는 극지방 같은 추위 등이 발생한다. 스페인어로 '작은 소녀'라는 뜻이다.

(2) 오존층 파괴

① 오존층: 지구대기의 성층권(20~30 km)에서는 태양에서 방출되는 인체에 유해한 자외선을 차단하여 대류권으로 들어오지 못하게 하여 사람과 식물을 보호하는 작용을 하는 존재

② 오존층 파괴 요인: 염화불화탄소(CFC, 프레온가스), H, N, Cl 등

▶ 에어컨, 냉장고, 스프레이, 분사제로 사용되는 기체

▶ 대기권에서는 분해되지 않으나 성층권에서 자외선에 의해 분해되어 염소원자를 방출하며 오존의 산소원자와 결합함으로 오존층을 파괴

③ 오존층 파괴로 인한 영향: 자외선 노출로 면역기능의 약화, 피부노화, 피부암 발생, 백내장 증가, 기후 온난화 영향, 해양 플랭크톤의 체질 변화로 해양계의 먹이사슬 파괴, 농작물이나 각종 생태계 파괴 등

(3) 산성비

① 대기 중에 배출된 대기오염물질(황산화물, 질소산화물)이 내리는 비와 화학작용을 하여 강산으로 변화하여 pH가 5.6 이하의 황산과 질산 방울들이 내리는 현상

② 금속이나 건축재료, 석조건물 등을 부식시키고, 호수나 하천을 산성화시켜 생태계를 파괴, 농작물이나 산림 황폐화시킴. 인체에 피부질환, 탈모, 심계항진 등 유발

6) 대기오염 사건

	발생 환경	발생 원인
뮤즈계곡 (1930년 12월)	무풍상태, 계곡, 기온역전, 연무발생, 공장(철, 금속, 유리, 아연) 지대	공장의 아황산가스, 일산화탄소, 유산불소화합물, 미세입자 등
요코하마 (1946년 겨울)	무풍상태, 진한연무발생, 공업지대	불명, 공업 대기오염 물질로 추측
도노라 (1948년 10월)	무풍상태, 계곡, 기온역전, 연무발생, 공장(철, 전선, 아연, 황산) 지대	공장의 아황산가스 및 황산 미세입자 혼합
포자리카 (1950년 11월)	기온역전, 공장사고로 황화수소가스가 대량 마을로 유출되어 발생	황화수소가스
런던스모그 (1952년 12월)	무풍상태, 하천평지, 기온역전, 연무발생, 인구조밀, 습도 90%, 차가운 스모그	석탄연소로 인한 아황산가스, 미립 aerosol, 분진 등
로스엔젤레스 스모그 (1954년 이후)	해안선 안개, 기온역전, 백색연무, 인구증가, 차량증가, 연료소비증가	석유계 연료, 오존, 알데하이드, 일산화탄소, 포름알데하이드 등

3. 수질오염

1) 수질오염

(1) 수인성 감염원의 원인

자연수가 물리적, 화학적, 생물학적, 세균학적 오염으로 물의 자정 능력이 상실되거나 생물체에 유해작용을 할 수 있는 불안정한 상태로 수질오염은 수인성 감염원의 원인

(2) 수질오염원

① 점오염원: 오염물질이 특정한 지점이나 비교적 좁은 지역 안에서 발생하는 것을 가리키고 오염물질이 배출되는 지점을 분명히 할 수 있다. 대표적인 것에는 도시하수, 산업폐수, 축산폐수 등.

② 비점오염원: 오염물질이 정확히 어디가 배출원인지 알기 어려운 산재된 오염원으로부터 배출되는 것을 가리키고, 비점오염원의 대표적인 예로서는 농경지, 방목장, 도시, 도로, 농지, 산지, 공사장 등.

2) 수질오염지표

(1) 용존산소량(DO)

① 수중에 용해되어 있는 산소의 양으로 높을수록 수질 양호

② 용존산소량이 높은 경우

- ▶ 기압이 높을수록
- ▶ 유속이 높을수록
- ▶ 온도가 낮을수록
- ▶ 염분이 낮을수록
- ▶ 수심이 얕을수록
- ▶ 겨울 〉 여름
- ▶ 주간 〉 야간
- ▶ 물의 오염도가 낮을수록

③ 용존산소량 부족시 혐기성 분해에 의한 부패 발생

④ 수질 평가에 가장 중요한 지표로 사용

(2) 생물학적 산소요구량(BOD)

① 수질오염 지표(하수, 공공수역)

② 수중의 유기물질이 호기성 세균에 의해 산화 분해될 때 소비되는 산소의 양으로 생물화학적 산소요구량이 높을수록 수질의 오염도가 높음.

③ 생물학적 산소요구량이 높다는 것은 수중에 분해 가능한 유기물질이 많다는 것을 의미하며, 용존산소량의 소비량의 증가로 혐기성 분해가 일어나기 쉬워 수중생물을 죽음에 이르게 함.

④ 수온 20℃에서 5일 동안 수중의 유기물질을 분해하는데 필요한 산소 소비량

(3) 화학적 산소요구량(COD)

① 생물학적으로 분해하기 어려운 폐수, 공장폐수, 해수오염 지표로 사용되며 하천의 생활환경기준으로도 쓰임.

② 수중에 함유된 유기 물질을 산화제를 이용하여 화학적으로 산화시 소비되는 산화제의 양을 산소의 양으로 환산한 수치

③ 화학적 산소요구량이 적을수록 수질이 양호하고, 높을수록 오염물질이 많이 함유되어 있어 수질이 불량함.

④ 과망간산칼륨($KMnO_4$)산화제 사용

(4) 수소이온농도(pH)

수소이온농도는 외부로부터 어떤 물질이 투입되면 민감하게 변화하여 오염여부 판단에 주로 사용되며 수중에서 pH 7(중성) 유지가 바람직함.

(5) 부유물질(SS)

유기물질과 무기물질을 함유한 0.1 μm~2 mm의 고형물질(여과에 의해 분리 가능)로 물에 용해되지 않고 떠다니며 용존 산소를 소모시키고 수중 탁도의 원인이 됨.

(6) 과망간산칼륨($KMnO_4$) 소비량

수중에 함유된 유기물질에 의해 소비되는 과망간산칼륨의 양으로 오염된 유기물질이 많을수록 과망간산칼륨 소비량이 많아짐.

(7) 대장균 수

① 사람이나 동물의 장, 내장에 생존하는 균으로 수중에 존재한다는 의미는 동물의 분뇨로 오염되어 있음을 알려주고, 다른 병원성 미생물이 존재할 가능성이 높음을 의미하기 때문에 수중오염의 미생물학적 지표로 활용

② MPN: 확률적으로 대장균군의 수치를 산출하는 방법으로 100 mL 속의 대장균군의 최확수를 의미한다. MPN이 10이라면 100 mL 속의 대장균이 10개 존재하는 것을 의미함.

③ 대장균지수(Coli index): 대장균군을 검출한 최소 검수량의 역수를 의미
(예: 100 mL에서 처음 대장균을 검출하였다면 대장균 지수는 1/100이므로 0.01이다)

(8) 암모니아 질소의 검출

유기질소화합물의 분해과정은 단백질 → 아미노산 → 암모니아성 질소(NH_6-N) → 아질산성 질소(NO_5-N)→ 질산성 질소(NO_6-N)의 5단계 분해과정

- 암모니아성 질소의 검출은 유기물질에 오염된지 얼마 되지 않았음을 의미함.
- 또한 분변에 오염이 되었을 가능성이 있는 것을 뜻함.

3) 환경정책 기준법에 따른 생활환경 기준

수질 및 수생태계: 하천 생활환경 기준

등급	상태	기준							대장균군 (군수/100mL)	
		수소 이온 농도 (pH)	생물 화학적 산소 요구량 (BOD) (mg/L)	화학적 산소 요구량 (COD) (mg/L)	총 유기 탄소량 (TOC) (mg/L)	부유 물질량 (mg/L)	용존 산소량 (mg/L)	총 인 (T-P) (mg/L)	총 대장균 군	분원성 대장균 군
매우 좋음	Ia	6.5 ~ 8.5	1 이하	2 이하	2 이하	25 이하	7.5 이상	0.02 이하	50 이하	10 이하
좋음	Ib	6.5 ~ 8.5	2 이하	4 이하	3 이하	25 이하	5 이상	0.04 이하	500 이하	100 이하
약간 좋음	II	6.5 ~ 8.5	3 이하	5 이하	4 이하	25 이하	5 이상	0.1 이하	1,000 이하	200 이하
보통	III	6.5 ~ 8.5	5 이하	7 이하	5 이하	25 이하	5 이상	0.2 이하	5,000 이하	1,000 이하
약간 나쁨	IV	6.0 ~ 8.5	8 이하	9 이하	6 이하	100 이하	2 이상	0.3 이하	–	–
나쁨	V	6.0 ~ 8.5	10 이하	11 이하	8 이하	쓰레기 등이 떠 있지 아니할 것	2 이상	0.5 이하	–	–
매우 나쁨	VI	–	10 초과	11 초과	8 초과	–	2 미만	0.5 초과	–	–

4) 수질오염현상

(1) 부영양화

① 조류의 번식에 양분이 될 물질들이 강, 바다, 호수, 저수지에 축적되어 조류가 급속히 증식하는 현상으로, 특히 N(질산염), P(인산염)은 수중 영양분 중에 가장 결핍되기 쉬워 일단 가해지면 급속한 생물번식이 일어남.

② 식물성 플랑크톤이 과다하게 증식되어 물의 표면을 덮어 햇빛을 차단하면 용존 산소가 부족하게 되고 결국 오염됨.(맑은 물의 색이 적색 또는 녹색의 물로 변함).

③ 부영양화 유발 물질

▸ N(질산염), P(인산염), C(탄산염), Fe, K, Mn, Ca 등

▸ 농장지 비료, 사람의 분뇨, 축산 분뇨, 공장 폐수, 합성세제 등

(2) 적조현상

① 식물성 플랑크톤의 이상적인 대량 증식으로 단시간에 조류의 급격한 성장에 의해 조류의 색깔에 따라 물의 색이 적색으로 보이는 바닷물의 부영양화 현상

② 대량 증식된 플랑크톤을 분해하기 위해 다량의 산소가 소모되어 어패류가 질식사함. (수산업의 큰 피해)

(3) 녹조현상(수화현상, Water-bloom)

부영양화된 호수나 유속이 느린 하천에서 식물성 플랑크톤이 크게 늘어나 물빛을 녹색으로 변화시키는 현상. 녹조현상을 막기 위하여 생활하수를 충분히 정화하여 영양염류가 바다나 호수로 흘러 들어가지 않게 해야 하며 강이나 호숫가에 식물을 심어 이미 유입된 영양 염류를 흡수 · 제거하기.

(4) 하천오염

① 인체에 미치는 영향: 수인성감염병(장티푸스, 파라티푸스, 콜레라, A형간염, 세균성이질 등), 기생충 질환의 감염(회충, 편충, 간디스토마, 폐디스토마 등), 수도열 등

1. 식품위생 관리

1) 식품위생 개념

① 식품위생이란 식품의 재배, 생산, 제조로부터 최종적으로 사람에 섭취되기까지의 모든 단계에서 식품의 안전성, 건전성 및 완전무결성(완전성)을 확보하기 위한 모든 필요한 수단을 말한다.(세계보건기구 식품위생전문위원회)

② 식품위생이란 식품, 식품첨가물, 기구 또는 용기, 포장을 대상으로 하는 음식에 관한 위생을 말한다.(우리나라 식품위생법)

③ 식품위생법은 식품으로 인하여 생기는 위생상의 위해를 방지하고 식품 영양의 질적 향상을 도모하며 식품에 관한 올바른 정보를 제공하여 국민보건의 증진에 이바지함을 목적으로 한다.

2) 식품위생관리 3대 요소

① 안전성(가장 중요한 요소) (Safety)

② 완전 무결성(Wholesomeness)

③ 건전성(Soundness)

3) 식품위생의 안전성평가를 위한 독성시험

(1) 급성독성시험

① 급성독성시험

어떤 물질을 저농도에서 고농도로 순차적으로 투여하면서 단시간에 나타나는 독성의 강도를 평가

② 반수치사량

- ▶ LD50(반수치사량, 시험동물 50%가 사망하는 투여량)
- ▶ 급성독성증상을 관찰하기 위한 독성 시험법으로 저농도에서 고농도까지의 약물을 1회 투여, 7~14일 정도 관찰
- ▶ LD50의 값이 작을수록 반수치사량에 도달하는 분량이 적은 값이므로 그만큼 독성이 강함.

(2) 만성독성시험

장기간 섭취하였을 때 나타나는 독성의 강도를 평가하기 위한 시험법으로 최대무작용

량(실험동물이 평생동안 투여해도 독성을 나타내지 않는 최대의 양)을 추정, 최대내량-대조군과 비교하여 10% 이상의 체중감소를 초래하지 않고 독성증후를 나타내지 않는 최대용량을 추정

(3) 일일섭취허용량(ADI)

평생 매일 섭취하여도 아무런 독성증상을 유발하지 않을 것으로 예상되는 일일 섭취허용량. 채소, 과일 등의 농약잔류허용량이나 식품첨가물의 허용량을 결정할 때 중요

4) 식품안전관리인증기준

(1) Hazard Analysis and Critical Control Point: HACCP (해썹, 식품안전관리인증 기준)

HA(Hazard analysis): 위해요소분석, 위해가능성 인자를 분석 및 평가

CCP(Critical control point): 중점관리기준, 위해가능성 인자를 방지 및 제거하고 안전성을 확보하기 위해 관리해야 하는 단계 및 공정

① 식품의 원재료 생산, 제조, 가공, 보존, 유통단계를 거쳐 최종 소비자가 섭취하기 전까지의 모든 과정을 관리하여 각 단계에서 생물학적, 화학적, 물리적 위해요소를 규명하고 해당 식품이 오염되는 것을 방지하기 위한 예방차원의 계획적 위생관리 시스템

② 식품의 안전성, 건전성, 품질의 확보를 위한 예방차원의 개념

③ 전 세계적으로 가장 이상적인 식품안전관리체계로 인정

④ 우리나라는 1995년 12월 5일 HACCP 제도 도입

(2) HACCP 7 원칙

① 위해 요소 분석

② 중점관리사항 결정

③ 허용한계기준(관리기준) 설정

④ 감시체계(monitoring) 확립

⑤ 개선조치방법 설정

⑥ 검증절차 및 방법 설정

⑦ 기록보존 및 문서작성규정 설정

(3) HACCP 12 단계

① HACCP 팀 구성
② 제품설명서 작성
③ 제품의 용도 확인
④ 공정흐름도 작성
⑤ 공정흐름도 현장확인
⑥ (원칙 1) 위해요소 분석
⑦ (원칙 2) 중요관리사항 결정
⑧ (원칙 3) 허용한계기준 설정
⑨ (원칙 4) 감시체계 확립
⑩ (원칙 5) 개선조치방법 설정
⑪ (원칙 6) 검증절차 및 방법 수립
⑫ (원칙 7) 기록보존 및 문서작성 규정 설정

2. 식품의 변질

부패	미생물의 작용으로 단백질이 분해되어 암모니아, 아미노산, 아민 등의 유해물질을 생성하고 악취를 발생시키는 현상
발효	미생물의 작용을 받아 탄수화물이 분해되어 유기산이나 알코올 등을 생성하는 현상
변패	미생물의 작 용으로 지방이나 탄수화물이 산화에 의해 분해되거나 변질되어 비정상적인 맛과 냄새가 나는 현상
산패	유지 중 불포화지방산이 산화 분해되어 비정상적인 맛과 냄새가 나는 현상

3. 식중독의 이해

(1) (식품위생법) 식중독

식품의 섭취에 연관된 인체에 유해한 미생물 또는 미생물이 만들어내는 독소에 의해 발생한 것이 의심되는 모든 감염성 또는 독소형 질환

(2) (세계보건기구) 식중독

식품 또는 물의 섭취에 의해 발생되었거나 발생된 것으로 생각되는 감염성 또는 독소형 질환

(3) 식중독 발생 보고

보건소장 → 시장, 군수, 구청장 → 시, 도지사 → 식품의약품안전처장

(4) 역학적 특징

① 급격히 집단적 발생, 예방접종과 격리치료 불필요
② 주로 여름철에 발병, 여성보다 남성의 발병률이 높음.
③ 식중독 발생의 약 60~80%가 집단급식소에서 발생하며, 그 중에서 학교에서의 발생이 50% 이상을 차지

세균성 식중독	소화기계 감염병
잠복기와 식중독의 경과가 짧다.	잠복기와 식중독의 경과가 길다.
면역형성이 안 된다.	어느 정도 면역이 형성된다.
소화기계 감염병과 비교해 발병력이 낮다.	발병력이 높다.
다량의 균이나 독소량이 많을 때 발생되며 주로 오염식품 섭취로 감염된다.	아주 소량의 병원체라도 생체 내에 침입할 경우 급격히 증식된다.

4. 식중독의 분류

세균성 식중독	감염형 식중독	장염비브리오균, 살모넬라균, 병원성대장균, 아리조나균, 여시니아균, 캠필로박터균
	독소형 식중독	황색포도상구균, 클로스트리듐 보툴리누스균, 웰치균, 세레우스균 등
	기타 식중독	장구균, 리스테리아균, 프로테우스균 등
화학적 식중독	가공 과정 중 발생하는 유해물질에 의한 식중독, 유해중금속에 의한 식중독, 조리기구 및 포장에 있는 유해물질에 의한 식중독 등	유해표백제, 감미료, 착색제, 보존제, PCB 농약, 메틸알코올, 구리, 납, 비소 등
자연독 식중독	동물성 자연독 식중독	복어, 굴, 바지락, 모시조개, 섭조개, 시가테라 등
	식물성 자연독 식중독	감자, 독버섯, 청매, 독미나리 등
곰팡이 식중독	마이토톡신에 의한 중독	아플라톡신, 맥각, 황변미 등

1) 세균성 식중독

(1) 감염형 식중독

원인이 되는 균이 식품에 오염되어 체내에서 증식된 것으로 다수의 세균을 경구적으로 섭취하여 발병한다. 체내독소가 있고, 잠복기가 길며 발열증상이 특징

① 장염 비브리오 식중독(호염균 식중독)

- ▶ 원인균: 장염 비브리오균(Vibrio Parahaemolyticus)은 해수세균의 일종으로 3~4% 농도에서 잘 발육
- ▶ 잠복기: 8~20시간(평균 12시간)
- ▶ 감염원: 플랑크톤, 연안의 해수 등
- ▶ 원인식품: 어패류, 생선회, 초밥
- ▶ 증상: 복통, 설사, 구토, 발열 등의 급성 위장염 증상
- ▶ 예방: 60℃ 20분 가열, 살균, 저온저장, 어패류의 세척 등

② 살모넬라 식중독

- ▶ 원인균: Salmonella typhimurium, Salmonella enteritidis, Salmonelladerby, Salmonella cholera suis 등
- ▶ 잠복기: 12~48시간(평균 24시간)
- ▶ 감염원: 쥐, 파리, 바퀴벌레 등
- ▶ 원인 식품: 어패류, 우유, 육류, 가금류 등
- ▶ 증상: 급속한 발열(38~40℃), 두통, 복통, 설사, 구토 등
- ▶ 예방: 60℃ 20분 가열, 저온저장, 쥐 파리 바퀴 등 구제

③ 노로바이러스 식중독

- ▶ 감염원: 오염된 과일이나 채소, 굴, 조개류 등을 통해 감염
- ▶ 겨울철 급성 위장염을 유발(영하 20℃ 이하에도 장시간 생존 가능)
- ▶ 잠복기: 24~48시간 후
- ▶ 증상: 구토, 설사, 복통, 위와 장염의 염증 유발
- ▶ 60℃, 30분 가열해도 멸균되지 않고 감염자의 입을 통해 전염
- ▶ 예방: 식품 조리 시 85℃ 이상에서 1분 이상 가열, 채소나 과일 등은 흐르는 물에 20초 이상 씻는다. 환자의 분변 및 토사물 관리, 환자 발생지역의 오염방지 및 환경위생관리가 필요

④ 병원성 대장균 식중독

- ▶ 원인균: Escherichia Coli
- ▶ 잠복기: 10~30시간(평균 12시간)

▶ 감염원: 환자나 보균자의 분변
▶ 원인식품: 병원성 대장균에 오염된 모든 식품
▶ 증상: 설사, 발열, 복통, 두통, 급성장염
▶ 병원성 대장균(E. coli O-157, EHEC): O 항원 중 157번째 발견된 것으로 식중독의 강력한 원인 독소물질 Verotoxin 생산, 감염력과 치명률이 높아 조기발견을 위한 체계 중요
▶ 예방: 환자나 보균자의 분변에 의해 식품이 오염되지 않도록 하고 보균자 관리가 필요하며 식기 등의 소독을 철저히 한다.

TIP!
병원성 대장균: 덜 익히거나 오염된 쇠고기나 가공되지 않은 우유 섭취 시 주로 발생하며 혈변, 심한 복통 증상

⑤ 그 밖의 감염성 식중독
▶ 아리조나(Salmonella Arizona), 여시니아(Yersinia Enterocolitica), 캄필로박터(Campylobacter Jejuni) 식중독 등

(2) 독소형 식중독

균이 식품 중에 증식하여 생성한 장독소나 신경독소가 원인이 되어 발병. 따라서 체외독소이고, 잠복기가 짧으며 주로 복통증상이 있음.

① 포도상구균 식중독
▶ 원인균: 황색포도상구균(Staphylococcus Aureus)
▶ 잠복기: 평균 3시간(세균성 식중독 중에 잠복기 가장 짧다)
▶ 증상: 구역질, 구토, 복통, 설사 등 급성위장염 증상
▶ 감염경로: 유제품, 도시락, 김밥 등이 원인 식품이 되어 감염
▶ 예방: 화농성 환자, 인후염 환자 음식 조리 금지, 저온보관, 조리된 식품 2시간 이내 섭취, 식기 멸균 철저

TIP!
포도상구균이 생성하는 장독소 Enterotoxin에 의해 식중독 발생

Check Point.

Enterotoxin 특징
100℃에서 1시간 가열하여도 활성을 잃지 않는다. 120℃에서 20분 가열하여도 완전 파괴되지 않고, 220~250℃에서 30분 이상 가열하여야 파괴된다. 균체가 증식할 때만 독소를 생성한다.

② 보툴리누스균 식중독

▶ 원인균: Clostridium Botulinum

▶ 원인균이 신경독소 Neurotoxin 분비하여 식중독 발생

▶ 잠복기: 12~36시간, 늦으면 72시간 이상도 있음.

▶ 치명률 가장 높음.

▶ 원인: 통조림, 소시지, 육류 등과 야채, 과일, 어류, 유제품 등이 혐기성 상태에 놓일 경우

▶ 증상: 신경성증상(시력저하, 동공산대, 복시, 타액분비 저하, 실성, 언어장애, 연하곤란 등), 심하면 호흡마비에서 사망까지 이른다.

▶ 예방: 독소가 열에 약하여 섭취 전 가열. 80℃에서 30분 가열하면 파괴

③ 웰치균 식중독

▶ 원인균: Clostridium perfringens

▶ 원인균이 Enterotoxin 분비하여 식중독 발생

▶ 잠복기: 8~16시간

▶ 증상: 수양성 설사, 복통

▶ 원인 식품: 가축과 가금류, 어패류 등

▶ 혐기성 균으로 집단 급식에서 자주 발생(집단조리식중독)

▶ 예방: 식품 가열조리, 급속한 냉각 저장, 분변 오염방지

④ 세레우스 식중독

▶ 원인균: Bacillus cereus으로 설사형과 구토형으로 구분

▶ 원인균이 Enterotoxin 분비하여 식중독 발생(설사형)

▶ 잠복기: 8~16시간(설사형), 1~5시간(구토형)

▶ 증상: 설사, 복통

▶ 원인 식품

- 설사형: 향신료 사용한 요리, 푸딩, 육류 및 채소의 수프 등
- 구토형: 쌀밥, 볶음밥 등

▶ 예방: 조리 후 즉시 섭취, 냉동식품 금지

(3) 그 밖의 세균성 식중독

프로테우스(Proteus morganii), 장구균(Streptococcus faecalis, Streptococcus faecium) 식중독, 리스테리아균(Listeria monocytogenes) 등

2) 화학성 식중독

주로 가공식품으로 인해 발생하는 경우가 많으며 식품의 구성성분 외에 유독한 화학물질이 첨가된 식품을 사람이 섭취하면 인체에 건강장애를 일으킨다.

(1) 종류

① 유해금속에 의한 식중독: 비소, 납, 수은, 구리, 카드뮴, 아연, 안티몬 등
② 농약에 의한 식중독: 유기인제, 유기염소제, 유기수은제 등
③ 불량첨가물에 의한 식중독: 유해감미료, 유해착색료, 유해보존료, 유해표백제 등

유해감미료	• Dulcin: 설탕의 250배의 단맛을 가지나 혈액독으로 중추신경장애, 신장, 간장장애 등을 유발하는 인체 유해감미료로 사용이 금지 • p-Nitro-o-Toluidine: 살인당, 원폭당이라고도 하며 설탕의 200배의 단맛을 가지나 독성이 강하여 사용이 금지 • Cyclamate: 설탕의 50배의 단맛을 가지고 수용성이며 열에 안정하나 발암성 물질로 사용이 금지 • Ethylene glycol: 엔진 냉각용수의 부동액으로 사용되었으나 단맛이 있어 감미료로도 사용되었지만 뇌나 신장에 석출되어 장애 발생하여 사용이 금지
유해착색료	• 적색계: Rhodamine B(로다민) 적색의 염기성 색소로 어묵이나 과자 등의 착색에 사용되어 화학적 식중독 유발 • 황색계: Auramine(아우라민) 황색의 염기성 색소로 카레가루, 단무지, 과자 등의 착색에 사용되어 화학적 식중독 유발 • p-Nitroaniline(파라니트로아닐린) 황색 가루로 물에 녹지 않으며 혈액독과 신경독 식중독 유발
유해보존료	• 붕산: 햄, 마가린, 베이컨, 어묵 등의 방부 목적으로 사용 • 포름알데히드: 두부의 방부 목적으로 사용되었다. 간장에 사용되는 불허용 보존제 • 승홍: 의약품으로 사용되며 강한 방부성으로 주류 등에도 사용
유해표백제	형광염료, Rongalite(롱갈릿), Nitrogen trichloride(삼염화질소) 등
그 밖의 유해물질	과실수 중 메탄올, 에틸납 등

3) 자연독 식중독

(1) 동물성 자연독

① 복어 식중독

- 원인독소: Tetrodotoxin
- 복어의 위장, 간장, 난소, 고환 등에 주로 독성분 함유
- 섭취 30분 후 중독증상 발생, 3~6시간 증상 발현
- 100℃ 6시간 가열하여 파괴
- 중독증상: 지각이상, 운동장애, 언어장애, 위장장애, 신경중추, 호흡중추 마비를 일으키고 호흡곤란이나 심한 경우 사망
- 예방: 조리전문가가 만든 음식 섭취

> **TIP!**
> 독성 함유 순서
> 알 〉 난소 〉 고환 〉 간장 〉 내장 〉 표피

② 조개류 식중독

- 원인독소: Venerupin
- 바지락, 굴, 모시조개 등에서 발견
- 잠복기: 24~48 시간
- 중독증상: 입술, 혀부터 차차 전신 마비 증상이 일어나고 전신권태, 두통, 구토, 토혈, 피하출혈반응 등

> **TIP!**
> 조개류 독소의 종류
> 1. Mytilotoxin: 홍합
> 2. Ciguatoxin: 열대고기
> 3. Tetramine: 소라, 고동

③ 마비성 조개 식중독

- 원인독소: Saxitoxin, Protogonyautoxin, Gonyautoxin
- 검은조개, 대합, 섭조개 등에서 발견
- 잠복기: 30분~3시간
- 중독증상: 입술, 혀, 잇몸 등 마비증상이 일어나고 언어장애, 사지마비, 보행 불능 등

(2) 식물성 자연독

① 독버섯 식중독

- 원인독소: Muscarine, Choline, Neurine, Phaline, Amanitatoxin 등
- 가을철에 주로 발생하며 우리 나라에서 발생하는 식물성 식중독 중 가장 많음.
- 외관상 색이 아름답고 선명하고 물에 넣고 버섯을 끓일 때 은수저를 검게 변화시키는 것으로 조리과정에서 구분
- 중독증상: 위장 장애형, 신경 장애형, 콜레라 증상형, 뇌증형, 혈액독형 등

② 감자 식중독

- 원인독소: Solanin

▸ 감자의 발아부위나 녹색 부위에 존재하며 조리로 파괴되지 않아 싹 난 부위나 녹색부위를 제거

③ 기타 식물성 식중독

▸ 청매(매실) 식중독: Amygdalin
▸ 독미나리 식중독: Cicutoxin
▸ 면실유(목화씨) 식중독: Gossypol
▸ 독보리(지네보리) 식중독: Temuline
▸ 미치광이풀, 가시독말풀 식중독: Hyoscyamine, Atropine 등

4) 곰팡이 식중독

① 원인독소: Ergotoxin(맥각독), Citrinin(쌀독), Aflatoxin 등
② 곰팡이의 대사산물로 사람이나 동물에게 장애 유발

TIP!

주로 Aspergillus 속 곰팡이가 생성하는 2차 대사 산물로서 곡류, 두류, 옥수수, 땅콩 등의 농산물에 이 곰팡이가 자라서 생성하는 곰팡이 독으로 간암을 유발한다.

5. 식품의 저장방법

1) 물리적 보존법

(1) 가열법

① 음식물 중의 미생물을 가열을 통해 사멸하여 보존하는 방법
② 일반적으로는 80℃에서 30분 사멸(무아포성 균)하나 완전멸균은 120℃에서 20분(아포성 균)

▸ 저온살균법: 62~65℃에서 30분간 가열 살균하는 방법
▸ 고온단시간살균법: 72~75℃에서 15초간 가열 살균하는 방법
▸ 초고온살균법: 130~140℃에서 0.5~4초간 가열 살균하는 방법

(2) 냉장 및 냉동법

저온에서 생물의 발육을 억제시키는 원리를 이용하여 보존하는 방법(냉장법은 0~10℃의 저장, 냉동법은 0℃ 이하의 저장)

(3) 건조 및 탈수법

▸ 음식물의 미생물이 번식하는데 습도를 제거하고 적당히 건조함으로 미생물의 번식을 억제하는 방법
▸ 수분 15%일 때가 미생물의 증식 억제 및 가치 손상 최소화하는 적당한 건조 단계

(4) 자외선 및 방사선 이용법

식품을 다량으로 장기보관할 경우

(5) 통조림법 및 밀봉법(호기성 세균 억제), 움 저장법(온도는 10℃, 습도는 85%, 땅속 1~2 m 저장) 등

2) 화학적 보존법

(1) 방부제 첨가법

① 방부제 조건: 인체에 무해한 것이 필요 조건이며 무독성, 무미, 무취, 무색, 소량으로 효과가 있어야 하며 식품에 변화를 주지 않아야 한다. 식품 중의 부패방지, 미생물 발육 억제, 식품의 산도 유지 물질

② 식품 보존의 목적을 위하여 미생물 증식억제 방법

(2) 염장법, 당장법, 산절임법(초절임법)

① 소금이나 설탕, 산을 이용하여 음식물에 고농도로 첨가할 경우 미생물 발육을 억제하여 보존하는 방법

② 염장법: 10%의 식염농도에서 삼투압에 의하여 미생물의 발육이 억제되어 식품을 보존하는 방법(오이지, 짠지)

③ 당장법: 50%의 당농도에서 삼투압에 의하여 미생물의 발육이 억제되어 식품을 보존하는 방법(잼, 젤리 등)

④ 산절임법: pH 4.9 이하의 낮은 산도에서 미생물의 발육이 억제되어 식품을 보존하는 방법(피클)

3) 물리, 화학적 보존법

① 훈연법: 주로 햄, 베이컨 등의 육류 및 어류의 보존법으로 연기에 포함된 물질들에 의해 살균작용과 건조활동이 일어나 식품의 풍미를 향상시키고 저장성을 높임.

② 가스저장법: CO_2, N_2 가스 이용하여 야채류, 과실류, 어육류 등을 저장하는 방법으로 공기 중의 이산화탄소, 산소, 온도, 습도 농도를 조절하여 저장

제12장 보건영양

1. 영양소의 이해

1) 영양소의 개념

(1) 영양소

인간이 신체 활동 및 정신 활동으로 소모된 부분을 보충하기 위하여 음식물로부터 인체에 필요한 물질을 섭취하게 되는데 이 물질을 의미하며, 신진대사 기능을 조절하고 생물체의 몸을 구성하거나 에너지원으로 사용, 생리작용을 조절하는 물질

(2) 필수 영양소

정상인의 일반적인 생리 기능이나 성장 등을 유지하기 위해 필요한 물질로 신체 내에서 합성되지 못하여 식품을 통해 공급받아야 하는 영양소

2) 영양소 역할 및 종류

(1) 영양소

탄수화물, 단백질, 지방, 비타민, 무기질, 물 등 생명 유지와 일상 생활을 영위하는데 필요한 물질

(2) 역할

① 열량소: 생명유지 및 활동에 필요한 에너지 생산 및 공급
  - ▸ 탄수화물, 단백질, 지방

② 조절소: 신체의 생리 기능 조절(에너지 생산과정에 참여)
  - ▸ 비타민, 무기질(무기염류), 단백질

③ 구성소: 신체 조직을 구성
  물(60~70%) 〉 단백질(16%) 〉 지방(14%) 〉 무기질(5%) 〉 탄수화물(소량)

(3) 종류

- ▸ 3대 영양소: 탄수화물, 지방, 단백질
- ▸ 5대 영양소: 탄수화물, 지방, 단백질, 비타민, 무기질
- ▸ 6대 영양소: 탄수화물, 지방, 단백질, 비타민, 무기질, 물

2. 영양소 기능

1) 열량소

인체의 활동에 필요한 에너지 공급

(1) 단백질

① 아미노산의 연결체, C · H · O · N · S 로 구성, 세포 구성하는 주성분으로 생명현상 유지에 중요

② 1 g당 4 kcal의 열량 발생

▶ 탄수화물, 단백질, 지방의 열량비 = 4 : 4 : 9

③ 역할: 효소와 호르몬 구성, 항체를 형성하여 면역을 담당, 신체조직 성장 및 유지, 체내 산과 알칼리 균형 조절, 혈액 응고 조절, 항생제 역할 등

④ 단백질 함유 식품: 육류, 두류, 생선, 우유 등

⑤ 단백질 부족: 빈혈, 발육저하, 부종, 저항력 감소(면역결핍), 지능발달 장애 등

▶ 콰시오커(Kwashiokor): 저개발국가, 특히 아프리카에서 흔히 발견되는 단백질 결핍증으로 빈혈, 발육부진, 피부와 모발의 색소 변화, 부종, 저항력감소 등을 유발

▶ 마라스무스(Marasmus): 열량과 단백질이 모두 결핍되어 생기는 신체 소모 증상

TIP!

필수 아미노산

- 단백질의 기본 구성단위인 아미노산 중 체내에서 합성되지 않아 식품을 통해 섭취해야 하는 아미노산
- 필수 아미노산은 총 8가지 류신(leucine), 라이신(lysine), 메티오닌(methionine), 발린 (valine), 이소류신(isoleucine), 트레오닌(threonine), 트립토판(tryptophan), 페닐알라닌(phenylalanine)이며, 영유아 및 어린이는 여기에 히스티딘(histidine)과 아르기닌(arginine)이 더해져 총 10가지의 필수아미노산을 필요로 한다.
- 함유식품: 우유, 치즈, 생선, 소고기, 콩, 계란, 두부 등

(2) 탄수화물

① C · H · O로 구성된 화합물로 당류, 당질이라고도 함.

② 1 g당 4 kcal의 열량 발생

③ 역할: 대사활동, 생물체의 구성성분, 중추신경계의 연료, 활동의 에너지원 등

④ 탄수화물 함유 식품: 곡류, 두류, 감자 및 전분류, 당류, 사과, 바나나 등

⑤ 탄수화물 부족: 영양장애, 탈수, 피로, 허약 등

탄수화물 과다섭취: 비만

(3) 지방

① C · H · O로 구성, 글리세롤과 고급지방산의 에스터 결합

② 1 g당 9 kcal의 열량 발생으로 에너지 효율이 높아서 열량 소모가 많이 필요한 상황에 도움

③ 역할: 우리 몸의 주요 에너지원, 내장기관의 보호, 영양물질의 저장고 역할, 성장, 체온유지, 뇌와 신경조직의 구성, 면역력 향상, 지용성 비타민(A, D, E, K) 흡수 도움 등

④ 지방 함유: 돼지고기, 쇠고기, 치즈, 버터, 땅콩, 깨 등

⑤ 지방 부족: 빈혈, 허약, 피부질환에 대한 저항력 감소 등
지방 과다: 동맥경화, 비만, 심혈관질환 등

2) 조절소

신체의 생리기능과 대사를 조절

(1) 무기질

① C · H · O · N 을 제외한 나머지 원소, 미네랄

② 무기질 종류: 나트륨, 칼륨, 염소, 칼슘, 마그네슘, 인, 요오드, 철분 등

③ 역할: 체내 산-알칼리 평형 유지, 삼투압 유지, 소화 작용, 혈액응고 작용, 산소 운반, 에너지 대사, 신체의 혈액, 뼈, 모발, 손톱, 치아 등의 체조직 형성, 체내 수분함량 조절 등

④ 무기질 결핍 시 발생하는 질병

▸ 나트륨: 열중증, 저혈압, 설사

▸ 칼륨: 근육 약화(골격, 심근, 내장근 등)

▸ 염소; 성장속도 지연

▸ 칼슘: 구루병, 골연화증, 성장지연, 임산부의 치아 약화

▸ 마그네슘: 신경질환

▸ 인: 골연화증, 골절

▸ 요오드: 크레틴증, 점액수종

▸ 철분: 빈혈, 두통

(2) 비타민

① 매우 적은 양으로 생리기능, 물질대사 조절하는 필수 영양소

② 지용성 비타민

▸ 열에 강하여 조리 중에 덜 손실되고 장 속에서 지방과 함께 흡수되며 유기용매에 녹음. 물에는 녹지 않고 흡수된 비타민은 좀처럼 방출되지 않고 담즙을 통하여 서서히 방출

▸ 비타민 A, D, E, F, K

비타민 A	• 시력 유지, 눈의 건강, 생식기능 건강, 성장 및 발달촉진 관여 등 • 녹황색채소, 과일, 버터, 치즈, 난황 등에 많이 함유
비타민 D	• 정상성장에 관여(자외선에 의해 합성 가능), 골격의 석회화, 칼슘과 인의 흡수 촉진 등 • 고등어, 참치, 연어, 우유, 버터, 동물의 간, 버섯 등에 많이 함유
비타민 E	• 항불임성 비타민으로 체내의 불포화지방산 보호역할, 세포막 손상을 저해하는 항산화제 • 견과류, 곡물의 배아, 난황, 버터 등에 많이 함유
비타민 F	• 불포화지방산으로 심장질환 예방, 세포성장, 지방분해촉진 효과 등 • 들기름, 콩기름, 옥수수기름, 홍화씨기름 등에 많이 함유
비타민 K	• 혈액응고에 관여하는 항혈액응고인자 • 양배추, 난황, 녹색채소 등에 많이 함유

③ 수용성 비타민

▸ 비타민 B복합체(B_1, B_2, B_6, B_{12}, 니아신, 비오틴, 엽산, 판토텐산), 비타민 C

▸ 물에 녹아서 불필요한 양은 소변으로 배출된다. 조리손실이 크고 매일 공급받지 못하면 결핍증상이 빠르게 나타남.

④ 체내에서 합성되지 못하며 반드시 음식으로 섭취해야 한다. 비타민 결핍 시 질병 발생

비타민 A	야맹증, 각막건조증
비타민 B_1	각기병, 신경염
비타민 B_2	구순염, 설염
비타민 B_6	피부염
비타민 B_{12}	악성빈혈
비타민 C	괴혈병, 피부병
비타민 D	곱추병, 구루병
비타민 E	불임증, 빈혈
비타민 F	피부장애, 생식기관 기능장애, 탈모 등

비타민 K	혈액응고장애
니아신	펠라그라 발생으로 설사, 치매, 피부염 증상

⑤ 열량을 내거나 신체를 구성하지는 않음.

3) 구성소

▸ 필요한 물질을 재합성하고 신체조직을 구성하는 영양소

▸ 물(60~70%) 〉 단백질(16%) 〉 지방(14%) 〉 무기질(5%) 〉 탄수화물(소량)

3. 열량 평가

1) 기초대사량(BMR; Basal Metabolism Rate)

① 생명유지에 필요한 최소 에너지량

② 기초대사량은 식후 12~18시간이 경과한 절대 안정의 상태에서 20℃의 온도를 유지하여 30분 동안 방출하는 열량을 측정(아침일찍 또는 아침식사 전)

③ 성인 기초대사량: 1,200 ~ 1,800 kcal

④ 연령, 성별, 체온, 인종, 체격, 계절 등에 따라 차이 발생

▸ 남자 〉 여자, 겨울 〉 여름, 고령일수록 낮아짐.

2) 비교에너지대사량(RMR; Relative Metabolism Rate)

① 운동 에너지의 소비량을 기초대사에 대한 비율로서 나타낸 수치로 작업대사량이 기초대사량의 몇 배가 되는지 계산한 값

②

$$= \frac{\text{작업시의 소비에너지} - \text{안정시 소비에너지}}{\text{기초대사량}} = \frac{\text{작업대사량}}{\text{기초대사량}}$$

③ 개인의 신체 조건에 상관없이 자세나 동작의 육체적 부담 정도

3) 특이동적 작용(SDA; Specific Dynamic Action)

① 식사 섭취 후 대사 항진 시 소비되는 에너지로 일 에너지는 사용되지 않고 열 에너지로 상실

② SDA는 먹는 음식의 양과 종류에 따라 다양한데 단백질의 약 30%, 탄수화물 4~5%, 지방 4% 열량 필요. 따라서 다이어트 식단에 단백질 섭취가 효과적

4. 영양상태 판정

1) 객관적 판정

(1) Broca Index(브로카 지수) → 표준 체중 대비 비만도 지수

① 표준체중(kg)

- ▶ 신장 150 cm 미만: [신장(cm)−100]×1.0
- ▶ 신장 150~160 cm: [신장(cm)−150]÷2+50
- ▶ 신장 16 1cm 이상: [신장(cm)−100]×0.9

② 비만도(%)

- ▶ 비만도(%)

$$= \frac{\text{실측체중} - \text{표준체중}}{\text{표준체중}} \times 100$$

→ 20% 이상이면 비만

- ▶ 비만도(%)

$$= \frac{\text{실측체중}}{\text{표준체중}} \times 100$$

→ 120% 이상이면 비만

(2) BMI(Body Mass Index; 체질량 지수)

① 체중(kg)÷[신장(m)×신장(m)]

② 18.5 미만 저체중, 18.5~24.9 정상체중, 25~30 과체중, 30 이상 비만, 40 이상 고도비만(보건복지부 자료, 서구인 비만 기준)

③ 세계적으로 통용되는 비만 판정 기준 방법이나 성장 중인 어린이와 노인에게는 해당하지 않음.

(3) Kaup 지수(카우프 지수)

① 체중(kg)÷[신장(m)×신장(m)]×104

② 15 미만 저체중, 15~19 정상체중, 20 이상 비만

③ 영유아(5세 미만의 어린이 중 특히 2세 미만) 비만 판정에 많이 사용되는 지수

(4) Rohrer 지수(로렐 지수)

① 체중(kg)÷[신장(cm)] ^{3}×107

② 110 미만 저체중, 160 이상 비만

③ 학령기 이후의 어린이 비만 판정에 많이 사용되는 지수

(5) Vervaek 지수(베르벡 지수)

① [체중(kg)+흉위(cm)]÷신장(cm)×102

② 82 이하 저체중, 92 이상 비만

(6) 복부 비만 측정(WHR; Waist Hip Ratio)

① 허리 둘레(cm)÷엉덩이 둘레(cm)

② 남자: 0.91 이상
여자: 0.83 이상 비만

2) 주관적 판정

전문가(의사)의 진단으로 판단(경험에 의한 임상 증상으로 판정)

3) 이화학적 검사에 의한 판정

혈액검사(헤모글로빈 수치 측정), 소변검사, 영양상태 측정 등

4) 간접적 판정

특정 연령 사망률, 특정 감염병 이환율, 식품의 섭취 평가 등

part 04

보건관리

제13장 보건행정

1. 보건행정의 이해

1) 보건행정 개념

① 보건행정이란 공적(official) 또는 사적(unofficial)기관이 사회보건 복지를 위하여 공중보건의 원리와 기법을 응용하는 것이다.(W.G. Smillie)

② 보건행정과 일반행정의 차이: 보건행정은 기술(과학)행정

2) 보건행정 특성

공공성과 사회성, 봉사성, 조장성 및 교육성, 과학성 및 기술성

3) 보건행정 범위

과거의 예방의학적 범위에서 최근 치료의학적 범위까지 확대

세계보건기구(WHO)	미국공중보건협회	Emerson
① 보건관련 기록보존	① 보건자료 기록과 분석	① 보건통계
② 보건교육	② 보건교육과 홍보	② 보건교육
③ 환경위생	③ 감독과 통제	③ 환경위생
④ 전염병 관리	④ 환경보건서비스	④ 전염병관리
⑤ 모자보건	⑤ 개인 보건서비스 실시	⑤ 모자보건
⑥ 의료	⑥ 보건시설의 운영	⑥ 만성병 관리
⑦ 보건간호	⑦ 사업과 자원 간의 조정	⑦ 보건검사실 운영

2.보건행정의 관리과정(Gulick의 7대 관리과정: POSDCoRB)

기획(Planning) ▸ 조직(Organization) ▸ 인사(Staffing) ▸ 지휘(Directing) ▸ 조정(Coordinating) ▸ 보고(Reporting) ▸ 예산(Budgeting)

1) 기획(Planning)

조직 목표 달성을 위하여 업무 계획 및 수행 방법을 세우는 과정

기획방법

(1) PPBS(Planning → Programming → Budgeting → System)

① 계획 → 사업 → 예산 → 체계

② 계획예산제도로 장기적 기획과 단기적 예산편성의 실시기획을 통해 체계적으로 연결함으로 예산 배분에 관한 의사결정을 합리적으로 추진하려는 예산제도

③ 미국 국방성에서 개발

(2) OR(Operation Research)

① 운영연구

② 시스템 운영에 대한 문제에 과학적인 방법을 통해 의사결정을 수행하는 방법

③ 제2차 세계대전 때 문제해결을 위해 체계적이고 과학적 분석의 필요를 시작으로 고안

(3) PERT(Programming Evaluation and Review Technique)

① 사업평가 및 검열기술

② 작업의 순서나 진행 상황을 한눈에 파악할 수 있도록 작성한 공정관리기법

(4) CEA(Cost-Effectiveness Analysis)

① 비용 – 효과 분석

② 여러 대안 중에 각 대안이 초래할 비용과 산출 효과를 비교, 분석하는 방법으로 투자의 우선순위와 자원 배분의 결정에서 주로 사용

(5) CBA(Cost-Benefit Analysis)

① 비용 – 편익 분석

② 여러 대안 중에 목표 달성에 가장 효과적인 대안을 찾기 위하여 각 대안이 초래할 비용과 편익을 비교, 분석하는 방법

2) 조직화(Organization)

기관의 목표를 효율적으로 달성하기 위하여 협동체를 조직하고 모든 자원에 대한 배분과 조종하는 활동을 의미

(1) 조직의 원리

조직관리의 7대 원리
1. 계층제의 원리 2. 명령통일의 원리 3. 통솔범위의 원리(관리한계의 원리) 4. 분업의 원리 5. 조정의 원리(목표통일, 행동통일의 원리) 6. 목적의 원리 7. 일치의 원리

(2) 조직의 형태

① 계선조직: 계층제의 구조를 갖고 명령복종 관계가 엄격한 수직적 조직(명령, 지휘, 집행 등의 업무에 대한 권한과 책임의 한계가 명확한 조직)

② 막료조직(참모조직): 횡적 지원을 하는 수평적 조직(주로 전문적인 지식, 기술, 경험 등으로 조언과 자문을 하며 계선의 기능을 보좌)

③ 보조조직: 계선조직의 외부 또는 내부의 조직(계선조직의 기능을 보조)

3) 인사(Staffing)

조직원의 채용과 교육, 훈련, 근무조건, 동기유발 등의 모든 과정

① 인사행정 요소: 채용, 능력발전, 사기, 규율

② 직업공무원제, 엽관주의, 실적주의, 대표관료제, 계급제, 직위분류제

4) 지휘(Directing)

관리자의 의사결정을 구체적인 형태로 명령이나 지시하여 따르도록 하는 과정

5) 조정(Coordinating)

조직의 공동 목표를 달성하는 데에 조화된 기능을 발휘할 수 있도록 같은 성질의 업무를 통합하고 조장하는 과정

6) 보고(Reporting)

업무수행 과정에서 관리자에게 업무의 진행과정, 결과, 연구 조사 등을 보고하는 과정

7) 예산(Budgeting)

재정기획, 회계, 재정통제의 형식에 의한 예산편성에 따르는 모든 과정

3. 보건의료체계

1) 보건의료체계

국가가 국민의 건강권 확보를 위하여 자국의 사회, 역사적 특성에 맞게 보건의료서비스에 관해 제도화한 모든 사회제도와 구조

2) 목표

의료서비스를 필요로 하는 모든 사람에게 공평하게 의료서비스를 제공하는 것이나 현실적으로 실행되기 어려우며 따라서 해결책은 주어진 가용자원의 범위 내에서 기대되는 수준의 국민 건강을 효율적으로 달성하는 것

3) 보건의료체계 구성요인(WHO 국가보건의료체계 5요인, 1984년)

(1) 보건의료자원의 개발

보건의료자원: 보건의료체계가 그 기능을 수행하기 위해서 필요한 생산요소를 의미

ⓐ 보건의료인력: 의사, 간호사, 약사, 의료기사, 행정요원 등

ⓑ 보건의료시설 : 병의원, 보건소, 보건지소, 약국, 조산원 등

ⓒ 보건의료장비 및 물자

ⓓ 보건의료기술 및 의료지식

(2) 자원의 조직적 배치

국가보건의료당국, 비정부기관, 건강보험프로그램, 민간부분 등

(3) 보건의료서비스의 전달

1차예방(건강증진, 예방), 2차예방(치료), 3차예방(재활)

(4) 재정적 지원

공공재원, 민간기업, 외국원조, 조직화된 민간기업, 지역사회에 의한 지원, 개인지출, 기타 기부금이나 복권판매 수익금 등

(5) 정책 및 관리(보건행정)

의사결정, 기획 및 실행, 감시, 평가, 정부지원, 지도력, 법규

4) 보건의료체계의 유형(Roemer)

(1) Roemer(뢰머, 1976년)의 보건의료체계

① 자유기업형
② 복지국가형
③ 저개발국형
④ 개발도상국형
⑤ 사회주의국형

(2) Roemer(뢰머, 1991년)의 Matrix형 보건의료체계

경제적 요소(경제개발 수준)와 정치적 요소 기준(시장에 대한 개입정도)에 따라 4가지로 분류

① 자유기업형
② 복지지향형
③ 보편 또는 포괄형
④ 사회주의형

5) Myers의 적정 보건의료서비스의 요소

① 접근의 용이성(Accessibility)
② 질적 적정성(Quality)
③ 의료서비스의 계속성(Continuity)
④ 보건의료의 효율성(Efficiency)

4. 우리나라 보건행정조직

1) 보건행정 체계의 구성

① 보건행정 운영체계: 보건복지부와 안전행정부로 이원화

▸ 보건행정: 보건복지부가 주관

▸ 보건의료서비스: 안전행정부 체계를 통한 시 · 도의 보건정책과와 보건소, 보건지소,

TIP!

보건복지부 직제: 4실 6국

1. 4실: 보건의료정책실, 사회복지정책실, 기획조정실, 인구정책실
2. 6국: 건강보험정책국, 건강정책국, 보건산업정책국, 장애인 정책국, 연금정책국, 사회보장위원회 사무국

보건진료소가 주관

② 보건사업: 중앙정부와 지방자치단체 간에 균형 있는 사업 수행

2) 중앙 보건행정조직

① 보건행정의 중앙 조직: 보건복지부

② 보건복지부의 소속 기관: 질병관리청, 국립정신병원, 국립재활원, 국립소록도병원, 국립결핵병원, 국립검역소, 국립망향의동산관리소 등

Check Point.

보건소 업무

1. 국민건강 증진, 보건교육, 구강보건 및 영양관리사업
2. 감염병의 예방, 관리 및 진료
3. 모자보건 및 가족계획사업
4. 노인보건사업
5. 공중위생 및 식품위생
6. 의료인 및 의료기관에 대한 지도 등에 관한 사항
7. 의료기사, 의무기록사 및 안경사에 대한 지도 등에 관한 사항
8. 응급의료에 관한 사항
9. [농어촌 등 보건의료를 위한 특별조치법]에 의한 공중보건의사, 보건진료원 및 보건진료소에 대한 지도 등에 관한 사항
10. 약사에 관한 사항과 마약, 향정 신성의약품의 관리에 관한 사항
11. 정신보건에 관한 사항
12. 가정, 사회복지시설 등을 방문하여 행하는 보건의료사업
13. 지역주민에 대한 치료, 건강진단 및 만성 퇴행성 질환 등의 질병관리에 관한 사항
14. 보건에 관한 실험 또는 검사에 관한 사항
15. 장애인의 재활사업 기타 보건복지부령이 정하는 사회복지사업
16. 기타 지역 주민의 보건의료의 향상, 증진 및 이를 위한 연구 등에 관한 사항

③ 보건복지부의 관련 기관: 식품의약품안전처, 국민건강보험공단, 건강보험심사평가원, 국립암센터, 보건소, 보건환경연구원, 국립중앙의료원 등

3) 지방 보건행정조직

(1) 시 · 도 보건행정조직

주로 행정적인 업무를 담당하며 역할이 제한적임.

(2) 시 · 군 · 구 보건행정조직

① 전국의 시 · 군 · 구에 설치된 보건소가 중추적 기관으로 보건지소, 보건진료소 등

② 보건소

- ▸ 대통령이 정하는 기준에 따라 시, 군, 구별로 1개소를 설치 가능하며 보건소의 설치는 지방자치단체 조례로 정한다.
- ▸ 시장, 군수, 구청장이 지역주민의 보건의료를 위하여 특히 필요하다고 인정하는 경우에 필요한 지역에 보건소를 추가로 설치, 운영할 수 있다.
- ▸ 보건소장은 의사의 면허를 가진 자 중에 시장, 군수, 구청장이 임명하며, 의사의 면허를 가진 자로서 충원하기 곤란한 경우에는 보건의무직 공무원을 보건소장으로 임명할 수 있다.
- ▸ 우리나라 최초의 보건소 조직은 1946년 서울 및 대도시에 설치된 모범보건소이고, 1962년에 현재 형태의 보건소가 처음 설치 및 운영되었다.
- ▸ 보건소법이 지역보건법으로 개정되면서 광역 및 기초자치단체장으로 하여금 매 4년마다 지역보건의료계획을 수립하고 보건복지부 장관에게 제출하도록 하고 있다.

③ 보건지소, 보건진료소

- ▸ 보건소의 하부 조직으로 읍면에 1개소씩 설치 운영되는 보건지소, 읍 · 면 내 의료취약지역에 설치, 운영되는 보건진료소가 있다.
- ▸ 보건지소: 지방자치단체는 보건소의 업무수행을 위하여 필요하다고 인정하는 때에는 대통령령이 정하는 기준에 따라 지방자치단체의 조례로 보건소의 지소를 설치할 수 있다. 또한 시장, 군수, 구청장은 지역주민의 보건의료를 위해 특히 필요하다고 인정하는 경우에 필요한 지역에 보건지소를 설치, 운영하거나 수개의 보건지소를 통합하여 1개의 통합보건지소를 설치 · 운영할 수 있다.
- ▸ 보건진료소: 「농어촌 등 보건의료를 위한 특별조치법」에 근거하며, 의사가 배치되지 아니하고 앞으로도 배치 곤란할 것으로 예상되는 의료취약지역 안에 보건진료원으로 하여금 의료행위를 하게하기 위하여 시장, 군수가 설치 운영하는 보건의료시설이다.
- ▸ 보건지소와 보건진료소는 보건소장의 지휘와 감독을 받는다.

④ 건강생활지원센터

- ▸ 설치근거: 「지역보건법」 제14조
- ▸ 설치기준: 읍 · 면 동 마다 1개씩(보건소 설치지역 제외)
- ▸ 지방자치단체가 보건소의 업무 중에서 특별히 지역주민의 만성질환예방 및 건강한 생활습관 형성을 지원하기 위함이다.
- ▸ 건강생활지원센터 설치 및 운영은 지속적으로 증가하고 있는 추세이다.

5. 국제보건기구

1) 세계보건기구(World Health Organization)

(1) 조직 구성

① WHO 설립: 국제보건회의 의결에 의하여(1946년 뉴욕 회의) 국제연합의 보건전문 기관으로 발족(1948년 4월 7일)

② WHO 목적: "모든 인류가 가능한 한 최고의 건강 수준에 달성하도록하는 데 있다"(헌장 1조)

③ WHO 본부 위치: 스위스 제네바

④ WHO 6개 지역사무소

- 미주 지역사무소: 미국 워싱턴 본부
- 아프리카 지역사무소: 콩고 브라자빌 본부
- 유럽 지역사무소: 덴마크 코펜하겐 본부
- 서태평양 지역사무소: 필리핀 마닐라 본부
- 동지중해 지역사무소: 이집트 알렉산드리아 본부
- 동남아시아 지역사무소: 인도 뉴델리 본부

TIP!

우리나라

1. 서태평양 지역사무소 가입
2. 1949년 65번째로 WHO 가입
3. 보건의료전문가, 방역자금 지원 등으로 결핵, 기생충, 한센병 등 퇴치에 크게 기여
4. 2012년 9월 주한연락사무소 폐쇄: 수혜국에서 공여국가로 변화

TIP!

북한: 동남아시아 지역 사무소 가입

(2) WHO 주요 보건 사업

① 말라리아 근절 사업

② 결핵관리 사업

③ 모자보건 사업

④ 영양개선 사업

⑤ 환경위생 사업

⑥ 보건교육 사업

⑦ 성병, AIDS 관리 사업

⑧ 신종감염병 관리 사업

2) 기타 국제보건기구

(1) 국제기구의 발족

보건문제는 한 지역이나 한 국가만의 노력으로 해결할 수 없는 것들이 많고, 국가 간에 상호협력할 경우에 문제를 좀 더 효과적으로 해결할 수 있다.

(2) 국제보건기구 종류 및 활동 내용

① 국제연합환경계획(UNEP): “인간환경회의” 개최, 리우선언(Agenda 21)
② 국제연합개발계획(UNDP): 개발도상국의 경제 및 사회개발 지원
③ 국제식량농업기구(FAO): 영양기준 및 생활향상
④ 국제연합에이즈(UNAIDS): 에이즈 예방사업 및 관리 지원
⑤ 국제아동구호기금(UNICEF): 소아보건+모자보건 및 복지 향상
⑥ 국제연합마약통제계획(UNDCP): 국제사회의 마약관리
⑦ 국제노동기구(ILO): 근로조건 개선 및 지위 향상
⑧ 국제연합교육과학문화기구(UNESCO): 세계유산 지정 보호, 국가 간의 문화, 교육, 과학의 교류로 협력 증진 도모

3) 건강도시의 정의

(1) 건강도시 세계보건기구(WHO)의 정의

▶ 건강도시를 지역사회의 물리적, 사회적, 환경적 여건을 지속적으로 개선해 나가면서, 개인의 잠재능력을 최대한 발휘하고, 시민들이 상호협력함으로써 최상의 삶을 누리는 도시
▶ 건강은 질병이 없고 허약하지 않을 뿐만 아니라 육체적으로 정신적으로 사회적으로 완전히 안녕한 상태이다. (세계보건기구, 1948)

(2) 건강도시 네트워크 가입 필수조건(세계보건기구)

① 깨끗하고 안전하며, 질 높은 도시의 물리적 환경
② 안정되고, 장기적으로 지속 가능한 생태계
③ 계층 간, 부문 간 강한 상호지원 체계와 착취하지 않는 지역사회
④ 개개인의 삶, 건강 및 복지에 영향을 미치는 문제에 대한 시민의 높은 참여와 통제
⑤ 모든 시민을 위한 기본적 요구(음식, 물, 주거, 소득, 안전, 직장 등)의 충족
⑥ 시민들 간의 다양한 만남, 상호작용 및 의사소통을 가능하게 하는 기회와 자원에 대한 접근성
⑦ 다양하고 활기 넘치며, 혁신적인 도시 경제
⑧ 모든 시민에 대한 적절한 공중보건 및 치료서비스의 최적화
⑨ 높은 수준의 건강과 낮은 수준의 질병발생
⑩ 이상의 요건들이 서로 양립할 뿐만 아니라 더불어 이 요소들을 증진시키는 도시 형태

(3) 세계보건기구가 제시한 9가지 건강도시의 지표

① 인구
② 건강수준
③ 생활양식: 흡연, 음주, 운동, 체중조절 등
④ 공중보건정책 및 서비스
⑤ 주거환경
⑥ 사회경제적 여건: 교육, 취업, 수입, 범죄, 문화행사
⑦ 물리적 환경: 대기, 수질, 소음, 식품관리
⑧ 불평등
⑨ 물리적 및 사회적 하부구조: 교통, 도시계획 등

(4) 지속가능발전목표(SDGs)

구분	새천년개발목표(MDGs)	지속가능발전목표(SDGs)
구성	8개 목표, 21개 세부목표	17개 목표, 169개 세부목표
대상	개발도상국	(보편성) 개발도상국 중심이나, 선진국도 대상
분야	빈곤 · 의료 등 사회분야 중심	(변혁성) 경제성장, 기후변화 등 경제 · 사회 · 환경 통합 고려
참여	정부중심	(포용성) 정부, 시민사회, 민간기업 등 모든 이해관계자 참여
MDGs(2001-2015)	**SDGs(2016-2030)**	**가치**
극심한 빈곤 및 기아 퇴치	모든 곳에서 모든 형태의 빈곤 퇴치	인간 (People)
	기아 종식, 지속가능한 농업 도모	
HIV/AIDS, 말라리아 등 질병퇴치	보건과 복지	
모성보건 증진		
유아사망률 감소		
보편적 초등교육 실현	양질의 교육	
성 평등 및 여성 권한 강화	양성 평등 및 여성 역량 강화	

<table>
<tr><td rowspan="7">지속가능한
한경 보장</td><td>물과 위생</td><td rowspan="5">지구(Planet)</td></tr>
<tr><td>기후변화 대응</td></tr>
<tr><td>해양 생태계 보존 및 지속가능한 활용</td></tr>
<tr><td>육상 생태계의 보호, 복원 및 지속가능한 활용</td></tr>
<tr><td>지속가능한 소비 및 생산 패턴 확보</td></tr>
<tr><td>지속가능한 도시 및 주거 여건 조성</td><td rowspan="5">번영(Prosperity)</td></tr>
<tr><td>클린 에너지</td></tr>
<tr><td rowspan="5">해당 없음</td><td>일자리와 경제성장</td></tr>
<tr><td>산업, 혁신과 인프라</td></tr>
<tr><td>불평등 완화</td></tr>
<tr><td>평화롭고 포용적인 사회 구축, 정의에 대한 접근성</td><td>평화(Peace)</td></tr>
<tr><td>제고, 신뢰할 만하고 포용적인 제도 구축</td><td></td></tr>
<tr><td>파트너십</td><td>이행 수단과 글로벌 파트너십 강화 파트너십 (Partnership)</td><td></td></tr>
</table>

1. 사회보장

1) 사회보장의 개념

① (사회보장기본법) 사회보장: 질병, 장애, 노령, 실업, 사망 등 각종 사회적 위험으로부터 국민생활의 질을 향상시키기 위하여 제공되는 사회보험, 공공부조, 사회복지서비스 및 관련 복지제도

② (Beveridge, 사회보장의 아버지) 사회보장: 실업, 질병 또는 재해 등으로 인하여 수입이 중단되었을 경우에 대비하거나 노령에 의한 퇴직이나 본인 이외의 사망으로 인한 부양 상실에 대비하기 위하여, 또는 출산, 사망, 결혼 등과 관련된 특별한 지출을 감당할 수 있게 하기 위한 소득의 보장

2) 사회보장제도의 역사

(1) 서양

① 사회보장제도 기원: 영국의 구빈법 시행(1601년)

② 최초의 사회보장제도 창시자: 독일의 비스마르크, 1883년

③ 질병보호법(1883), 근로자재해보험법(1884), 폐질 · 노령보험법(1889)

④ "사회보장" 용어 처음 사용: 미국 루즈벨트 대통령 뉴딜정책의 일환으로 처음 사용(1935년)

⑤ 최초의 사회보장법 제정: 미국(1935년)

(2) 우리나라

① 조선구호령 제정: 일제 말기(1944년)

- ▸ 생활보호법 제정(1961년)되기까지 사회복지사업의 근간
- ▸ 양로 및 고아보호사업, 극빈자에 대한 구호사업 실시

② 근로기준법 제정: 1953년

③ 공무원연금법: 1960년

④ 의료보험법: 1963년

⑤ 의료보호(공적부조), 의료보험(사회보험) 실시: 1977년

⑥ 국민건강보험법: 2000년

⑦ 기초노령연금제도, 장기요양보험제도 실시: 2008년

3) 사회보장의 종류

(1) 사회보험

① 국민을 대상으로 사망, 질병, 노령, 실업, 신체 장애 등 활동 능력 상실로 인한 소득 감소 발생시에 보험료에 의존하여 보장하는 제도

② 법에 의한 의무적으로 강제가입

③ 우리나라사회보험 종류

ⓐ 건강보험(1977년): 의료보장, 균등급여

▸ 질병, 부상, 장제, 출산, 사망보험

▸ 전 국민 대상

ⓑ 국민연금보험(1988년): 소득보장, 소득비례

▸ 노령, 유족(사망), 장애보험

▸ 18세 이상 60세 미만 대상

ⓒ 고용보험(1995년): 실업고용, 소득비례

▸ 실업관련 보험

▸ 상시 1인 이상 근로자 대상

ⓓ 산업재해보상보험(1964년): 산재보상

> **TIP!**
> **4대 사회보험**
> 산업재해보상보험(1964) → 건강보험(1977) →국민연금보험(1988) → 고용보험(1995)

▶ 업무상 재해에 관한 보험

▶ 상시 1인 이상 근로자 대상

ⓔ 노인장기요양보험(2008년)

▶ 노인 요양에 관한 보험

▶ 65세 이상 또는 노인성질환자 대상

④ 사회보험과 사보험의 비교

구분	사회보험	사보험
보험가입	강제가입	임의가입
가입목적	최저생계 또는 의료보장	개인 필요성에 따른 보장
적용대상	질병, 산재, 실업, 노령 등	질병, 화재, 생명, 자동차 등
독점 및 경쟁	정부 또는 공공기관의 독점	자유경쟁
보험료	소득수준에 따른 능력비례부담	약정된 수준에 따른 선택부담
급여수준	균등급여	차등급여
보험대상	집단보험	개별보험

(2) 공공부조

① 국가 및 지방자치단체의 책임 하에 생활 유지 능력이 없거나 생활이 어려운 국민의 최저생활을 보장하고 자립을 지원하는 제도를 의미한다.(사회보장법 제3조)

② 일종의 구빈제도, 자력으로 생계유지가 어려운 사람들을 자산조사를 통해 수혜자를 결정하여 자력으로 생활할 수 있을 때까지 국가에서 지원

③ 국민기초생활보장: 생계급여, 의료급여, 장제급여, 교육급여, 자활급여, 주거급여, 해산급여

④ 조세에 의존

(3) 사회복지서비스

① 국가 · 지방자치단체 및 민간부문의 도움이 필요한 모든 국민에게 복지, 보건의료, 교육, 고용, 주거, 문화, 환경 등의 분야에서 인간다운 생활을 보장하고 상담, 재활, 돌봄, 정보의 제공, 관련 시설의 이용, 역량 개발, 사회참여 지원 등을 통하여 국민의 삶의 질이 향상 되도록 지원하는 제도(사회보장법 제3조)

② 보건의료서비스(무료보건서비스, 공공보건서비스 등)와 사회복지 서비스(아동, 노인, 장애인, 한부모 가족, 부녀복지 등)로 구성

2. 의료보장

1) 의료보장의 이해

① 의료보장: 국민의 생존권을 보호하는데 필요한 보건의료서비스를 국가나 사회가 제공하는 제도

② 의료보장의 목표: 예상하지 못한 의료비의 부담으로부터 국민을 보호, 보건의료비의 적정수준 유지, 모든 국민이 보건의료서비스 혜택을 받을 수 있도록 하는 것

2) 의료보장의 분류

(1) 국민보건서비스형(NHS)

① 정부의 일반조세로 재원을 마련하여 모든 국민에게 무상으로 의료를 제공하는 것으로 조세방식 또는 베버리지 방식

② 영국, 스웨덴, 이탈리아, 캐나다 등에서 시행

③ 국내 거주 모든 사람에게 포괄적인 보건의료서비스를 무료로 제공

④ 예방중심적

⑤ 의료의 질 저하 가능, 정부의 의료비 과다 지출 문제 가능

(2) 사회보험형(NHI)

① 의료비에 대하여 국민의 자기 책임의식을 강조하고 정부의존을 최소화하여(일부 국고지원) 보험자가 보험료를 재원 마련하여 의료를 보장하는 것으로 사회보험 방식 또는 비스마르크 방식이라고 함.

② 한국, 독일, 일본, 프랑스, 대만, 네덜란드 등에서 시행

③ 대상자 모두가 강제로 가입하며 의료공급자, 보험자, 피보험자가 존재

④ 치료중심적

⑤ 양질의 의료 제공 가능, 의료비 증가에 대한 억제 기능의 취약성으로 보험재정 불안정 가능성

3) 진료비 지불 보상제도

(1) 행위별수가제(FFS)

① 의사가 진료할 때 의료비가 치료의 종류 및 기술의 난이도와 서비스의 양에 따라 결정되는 방식으로 시장기능에 의해 수가 결정

② 우리나라 건강보험 행위별수가제 실시

장점	단점
• 의사의 재량권 확대, 자율성의 보장 • 서비스 양과 질 극대화 • 가장 합리적이고 현실적 • 과학기술의 발달유도	• 수가에 대한 공급자와 보험자 간의 마찰 • 과잉진료에 대한 의료비 상승 가능 • 행정적으로 복잡 • 예방보다는 치료에 치중 • 상급병원 후송 기피 • 기술지상주의 가능성

(2) 포괄수가제(DRG)

① 환자가 병의원에 입원하여 퇴원할 때까지 진료의 종류나 횟수와 상관없이 미리 정해진 진료비를 부담하는 방식으로 환자 종류당 총괄보수단가 설정하여 보상

② 대표적으로 유럽국가들에서 포괄수가제 실시하며, 미국의 경우 65세 노인과 장애인 의료보험인 Medicare의 입원진료비 지불 방식으로 포괄수가제를 처음 도입하였고 이후 빈곤층 대상 의료보험인 메디케이드와 민간보험에도 이 제도를 확대 적용하였다. 진료비 적용하는 DRG(진단명 기준 환자군)-PPS 대표적 방식

③ 우리나라에서 7개의 질환(백내장, 편도, 맹장, 탈장, 치질, 제왕절개분만, 자궁수술)에 대해 병원, 의원, 종합병원, 상급종합병원에서 실시(2012년 7월부터)

장점	단점
• 경제적 진료 • 행정업무 간편 • 진료의 표준화 • 부분적으로 적용 가능 • 의료기관 생산성 증대	• 의료서비스 질 저하 초래 • 서비스의 규격화 • 과소진료 가능 • 의료행위에 대한 자율성의 감소 • 합병증 발생에 관한 적용곤란

(3) 총괄계약제

진료측(의사단체)과 보험자측 간에 진료보수 총액을 사전에 체결하여, 진료측은 총액의 범위 내에서 진료를 진행하고 보험자측은 의료기관에 일괄적으로 지급하고 보건의료서비스를 이용하는 방식

장점	단점
• 과잉진료에 대한 조절 가능 • 총진료비의 억제 가능	• 새로운 기술 도입의 어려움 • 진료비계약에 대한 협상문제로 의료제공 혼란 초래 가능

(4) 봉급제(성과급제)

① 환자 수나 제공하는 서비스의 양 상관없이 일정한 기간에 따라 보상하는 방식

② 국민보건서비스 제도를 실행하고 있는 국가나 사회주의 국가에서 주로 시행

장점	단점
• 의사 수입의 안정성 보장 • 치료 및 진료에 집중 • 행정처리 용이 • 과잉진료나 진료비용 산정에 대한 불신 없음	• 관료하 우려 • 진료 형식화 • 과소 서비스 • 동기부여가 적음 • 질 저하에 따른 과소진료 초래 가능성

(5) 인두제

의사 1인당 등록된 환자 수 또는 실제 이용자 수를 기준으로 진료비가 지불되는 방식

장점	단점
• 등록된 환자에게 사용되는 진료비용이 적을수록 의사의 수입 증가(진료의 지속성의 증대로 비용이 상대적으로 저렴) • 예방활동, 질병의 조기발견에 집중 • 행정적 업무절차 간편 • 의료남용을 줄일 수 있음	• 환자의 선택권 제한 • 최소한의 서비스 양 • 고위험, 고비용환자 기피 가능 • 과소치료 가능 • 환자후송 및 의뢰의 증가 가능

(6) 신포괄수가제

① 기존의 포괄수가제에 행위별 수가제적인 성격을 반영한 혼합모형

② 지불제도로 입원기간 동안 발생한 입원료, 처치 등 진료에 필요한 기본적인 서비스는 포괄수가로 묶고, 의사의 수술, 시술 등은 행위별 수가로 별도 보상하는 제도

3. 우리나라 의료보장제도

1) 건강보험

(1) 국민건강보험

① 의료보험 3요소: 보험자(국민건강보험관리공단), 피보험자(국민), 요양취급기관(병원)

② 피보험자는 본인 일부 부담금과 비급여 비용만 부담하고 나머지 진료비는 요양취급기관(의료공급자)가 보험자에게 청구하는 방식

(2) 건강보험 운영 및 특성

① 운영: 보건복지부, 국민건강보험공단, 건강보험심사평가원 등

- 보건복지부: 건강보험 관련 전반적인 업무 총괄, 정책 결정
- 국민건강보험공단: 보험료의 부과, 징수, 보험급여비용 지급, 가입자 자격 관리 등
- 건강보험심사평가원: 요양기관으로부터 청구된 비용에 대한 심사 및 적절성 평가

② 특성

- 질병, 분만, 부상, 사망 등의 사고에 대한 보험 급여
- 의료보험 공동부담(부담능력에 따른 보험료의 차등부과), 가입의 강제성, 보험급여의 균등한 수혜
- 예측 불가능한 질환을 대상으로 일시 과부담 경감제도

(3) 건강보험급여

보험자가 피보험자에게 제공하는 혜택

① 법정급여(강제성)

현물급여	요양급여	질병, 출산, 부상 등에 대하여 제공하는 급여로 검사, 진찰, 약제, 처치, 예방, 수술, 입원, 간호 등이 포함 → 급여기간 제한 없음
	건강진단	건강보험공단은 직장가입자, 세대주인 지역가입자, 40세 이상 지역가입자 및 피부양자를 대상으로 2년에 1번 건강검진 실시하며, 사무직이 아닌 직장가입자에 대해서는 1년에 1번 실시
현금급여	요양비	가입자나 피부양자가 부득이한 이유로 질병, 출산, 부상 등에 대하여 요양기관 이외 장소에서 치료를 받을 경우 요양급여에 상당하는 금액을 지급하는 급여
	장애인보장구 급여비	등록한 장애인이 가입자이거나 피부양자인 경우 보장구 구입시 공단이 정한 보장구기준액 초과 할 경우 기준액의 80%를, 기준액 미만인 경우는 구입액의 80%에 해당하는 금액을 공단이 부담
	본인부담환급금	과다하게 납부한 건강보험 본인부담금을 돌려주는 제도
	본인부담보상금	매 30일간 급여대상진료비가 120만원을 초과한 경우에 그 초과 금액의 50%를 지급

② 임의급여(비강제성)

- 임신 출산 진료비

(4) 본인일부부담

① 의료기관 이용 시 발생하는 진료비의 일부를 이용자가 부담 → 과잉진료 및 과잉수진의 부작용 문제 보완

② 본인부담금: 비 급여 진료비(건강보험이 급여대상으로 하지 않는 서비스에 대한 비용)+법정 본인부담금

③ 외래진료는 요양기관 종별에 따라 본인부담률에 차등을 두고 있으며, 입원 시에는 요양기관 종별에 상관없이 요양 급여 비용 총액의 20%를 본인부담으로 함.

④ 요양기관 종류

- ▸ 1단계 의료기관: 의원, 병원, 종합병원, 전문요양기관
- ▸ 2단계 의료기관: 상급종합병원

(5) 진료비 지불 보상제도와 수가

① 행위별수가제 실행

② 일부 질환의 입원진료에 대해서 진단군별 포괄수가제 적용

(6) 진료비 청구와 심사

보험가입자 → (본인부담금+비급여진료비) → 요양취급기관 → (진료비 청구) → 건강보험심사평가원 → (진료비 평가, 공단에 통보) → 국민건강보험공단 → (진료비 지급) → 요양취급기관

2) 의료급여

(1) 의료급여 제도의 특성

공적부조제도로 국민기초생활보장 수급권자와 일정수준 이하의 저소득층 및 특수계층을 대상으로 국가 재정에 의해 의료혜택을 주는 제도

① 본인의 신청에 의하여 수혜가 결정되며 의료급여의 수혜자가 저소득층이나 빈곤층으로 한정

② 급여는 자산조사를 통한 필요도를 조사한 후에 주어지며 수혜자의 재산 상태와 필요도에 따라 급여수준에 차등

③ 공공부조는 전적으로 국가의 일반재정으로 조달되며 일부를 지방자치단체가 부담할 수 있음.

(2) 의료급여 수급권자

의료급여 수급권자의 대부분은 국민기초생활보장 수급권자로 종구분에 따라 1종과 2종 분류

(3) 관리운영체계

의료급여 제도의 주요 관리운영 주체: 중앙정부, 시도 및 시군구 자치단체, 건강보험공단, 건강보험심사평가원

① 중앙정부: 의료급여사업의 방향 및 대책 수립, 의료급여기준 및 수가 결정 등에 관한 사항 심의

② 시도 및 시군구 자치단체: 의료급여사업 조정에 관한 사항 심의 및 의료급여 수급권자 선정 및 관리

③ 건강보험공단: 급여비용 지급

④ 건강보험심사평가원: 급여비 심사업무

3) 우리나라 산업재해 보상보험

(1) 의료보장, 소득보장 동시 기능

(2) 사업주가 보험료 전액 납부

4) 노인장기요양보험

(1) 장기요양보험의 개념

① 고령이나 노인성 질병 등으로 혼자서 일상생활을 수행하기 어려운 노인 등에게 신체활동 또는 가사활동 지원 등의 장기요양급여를 제공하여 노후의 건강증진 및 생활안정을 도모하고 그 가족의 부담을 덜어줌으로써 국민의 삶의 질을 향상하도록 하는 사회보험제도

② 지원 형태: 식사, 취사, 조리, 세탁, 배설, 목욕, 간호, 청소, 진료의 보조 등의 다양한 방식으로 제공

(2) 주요 특징

사회보험형식, 국민건강보험공단에서 관리운영(건강보험제도와는 별개로 운영)

(3) 노인장기요양보험의 적용

① 수급대상자: 65세 이상의 노인 또는 65세 미만 자로서 뇌혈관성질환, 치매 등 노인성 질병을 가진 자 중에 6개월 이상 혼자서 일상생활을 수행하기 어렵다고 인정되는 자, 65세 미만의 노인성 질병이 없는 일반 장애인은 제외

② 적용대상: 건강보험 가입자는 장기요양보험의 가입자로 법률상 강제 가입, 의료급여수급권자의 경우 국가 및 지방자치단체의 부담으로 장기요양보험 적용 대상

③ 장기요양인정

▸ 장기요양인정 절차에 따라 수급권 부여

▸ 장기요양인정 절차

– 공단에 장기요양인정 신청

– 공단직원 방문으로 인정조사 및 등급판정위원회의 등급 판정

– 장기요양인정서, 표준장기요양 이용계획서의 작성 및 송부

④ 재원: 노인장기요양보험에 소요되는 재원은 국가 및 지방자치단체의 부담, 장기요양보험료, 장기요양급여 이용자가 부담하는 본인 일부 부담금으로 운영

⑤ 등급판정기준

등급	심신의 기능상태	장기요양 인정점수
1등급	일상생활에서 전적으로 다른 사람의 도움이 필요한 상태	95점 이상
2등급	일상생활에서 상당부분 다른 사람의 도움이 필요한 상태	75점~95점 미만
3등급	일상생활에서 부분적으로 다른 사람의 도움이 필요한 상태	60점~75점 미만
4등급	심신의 기능상태 장애로 일상생활에서 일정부분 다른 사람의 도움이 필요한 상태	51점~60점 미만
5등급	치매(제2조에 따른 노인성 질병으로 한정한다)환자	45점~51점 미만
인지지원등급	치매(노인장기요양보험법 시행령 제 2조의 노인성 질병에 한정)환자	45점 미만

(4) 장기요양급여의 종류

① 재가급여

종류		기능
재가노인 복지 서비스	방문요양 서비스	가정에서 일상생활을 영위하고 있는 노인으로서 신체적 · 정신적 장애로 어려움을 겪고 있는 노인에게 필요한 각종 편의를 제공하여 지역사회 안에서 건전하고 안정된 노후를 영위하도록 하는 서비스
	주 · 야간 보호 서비스	부득이한 사유로 가족의 보호를 받을 수 없는 심신이 허약한 노인과 장애노인을 주간 또는 야간 동안 보호시설에 입소시켜 필요한 각종 편의를 제공하여 이들의 생활안정과 심신기능의 유지 · 향상을 도모하고, 그 가족의 신체적 · 정신적 부담을 덜어주기 위한 서비스
	단기보호 서비스	부득이한 사유로 가족의 보호를 받을 수 없어 일시적으로 보호가 필요한 심신이 허약한 노인과 장애노인을 보호시설에 단기간 입소시켜 보호함으로써 노인 및 노인가정의 복지증진을 도모하기 위한 서비스
	방문 목욕 서비스	목욕 장비를 갖추고 재가노인을 방문하여 목욕을 제공하는 서비스
	방문간호 서비스	간호사 등이 의사, 한의사 또는 치과의사의 지시서에 따라 재가노인의 가정 등을 방문하여 간호, 진료의 보조, 요양에 관한 상담 또는 구강위생을 제공하는 서비스
	재가노인지원 서비스	그 재가노인에게 제공하는 서비스로서 상담 · 교육 및 각종 서비스(예: 예방적 사업, 사회안전망 구축사업, 긴급지원사업)

② 시설급여

장기요양기관이 운영하는 노인의료복지시설 등에 장기간 동안 입소하여 신체활동 지원 및 심신기능의 유지, 향상을 위한 교육, 훈련 등을 제공하는 장기요양급여

종류		기능
노인주거 복지시설	양로시설	노인을 입소시켜 급식과 그 외 일상생활에 필요한 편의 제공
	노인공동 생활가정	노인들에게 가정과 같은 주거여건과 급식, 그 외 일상생활에 필요한 편의 제공
	노인복지주택	노인에게 주거시설을 분양 또는 임대하여 주거의 편의 · 생활지도 · 상담 및 안전관리 등 일상생활에 필요한 편의 제공
노인의료 복지시설	노인요양시설	치매 · 중풍 등 노인성질환 등으로 심신에 상당한 장애가 발생하여 도움을 필요로 하는 노인을 입소시켜 급식 · 요양과 그 외 일상생활에 필요한 편의 제공
	노인요양 공동생활가정	치매 · 중풍 등 노인성질환 등으로 심신에 상당한 장애가 발생하여 도움을 필요로 하는 노인에게 가정과 같은 주거여건과 급식 · 요양, 그 외 일상생활에 필요한 편의 제공
노인여가 복지시설	노인복지관	노인의 교양 · 취미생활 및 사회참여활동 등에 대한 각종 정보와 서비스를 제공하고, 건강증진 및 질병예방과 소득보장 · 재가복지, 그 외 노인의 복지증진에 필요한 서비스 제공
	경로당	지역노인들이 자율적으로 친목도모 · 취미활동 · 공동작업장 운영 및 각종 정보교환과 기타 여가활동을 할 수 있도록 하는 장소를 제공
	노인교실	노인들에 대하여 사회활동 참여욕구를 충족시키기 위하여 건전한 취미생활 · 노인건강유지 · 소득보장 기타 일상생활과 관련한 학습프로그램 제공
노인보호 전문기관		학대받는 노인 발견, 보호, 치료 등을 신속히 처리하고 노인학대를 예방

③ 특별현금급여

- 가족요양비
- 특례요양비
- 요양병원간병비

1. 보건통계학의 개념

1) 통계학

자료의 수집, 정리, 분석을 통하여 어떤 의사결정을 할 수 있도록 도움을 주는 과학적 방법으로 기술통계학, 추리통계학으로 구분

2) 보건통계학

인간집단에서 보건과 관련된 각종 자료를 수집, 정리, 분석하여 인간집단의 건강상태를 파악하고 그 특성을 밝히는 학문

3) 보건통계학의 역할

① 국가와 지역사회의 보건수준(상태)를 평가
② 지역사회주민의 질병양상을 파악
③ 보건사업의 필요성을 결정하며 보건사업계획의 기초
④ 보건사업의 우선순위를 결정하고 방향을 제시하며 사업기획, 조정, 진행, 결과 등의 발전에 활용
⑤ 보건사업의 행정활동의 지침
⑥ 보건사업의 평가에 결정 자료 제공
⑦ 보건에 관한 법률에 관하여 개정이나 제정을 촉구 가능

2. 통계학의 기본 용어

1) 모집단

통계적인 관찰의 조사 대상이 되는 집단 전체

2) 표본

전체에서 일부를 추출하여 조사함으로 전체의 성질을 추정할 때 모집단에서 추출된 일부

3 변수(변인)

개체에 따른 변화의 특성을 의미하며 인과관계에 따라 독립 변수와 종속 변수로 나뉘고, 속성에 따라 질적 변수와 양적 변수로 나뉨.

① 질적 변수: 자료의 속성을 의미하며 수치로 측정되는 것이 아니라 관측된 값이 문자로 표시되어 범주로 나타남.

② 양적 변수: 수치로 측정되어 그 결과가 수의 크기로 얻어지는 자료임.

4) 기술통계와 추리통계

(1) 기술통계

수집된 자료를 쉽게 이해할 수 있도록 표, 그림, 대표값 등을 이용하여 요약 및 서술하고 현상을 설명하는 방법

① 빈도: 일정 변수의 응답범주에 대한 각각의 응답 수

② 대표값(집중화 경향, Central tendency): 변수의 분포가 일정 속성에 집중되는 정도를 의미하며 관찰된 자료가 어느 위치에 집중되어 있는 가를 나타내는 척도

ⓐ 평균값(mean): 일정한 변수의 분포가 지니는 모든 범주 값들의 합산을 전체 사례수로 나눈 수치로 대표값(집중화 경향) 중 가장 신뢰할 만한 수치

▸ 산술평균: 측정값을 모두 합한 후 측정수로 나눈 값으로 일반적으로 평균이라 할 때 산술평균을 의미. 대표값(집중화 경향) 중 가장 많이 사용되는 값

▸ 기하평균: 측정값의 곱의 n제곱근을 의미

▸ 조화평균: 각 변량들의 역수들을 산술평균한 것의 역수를 의미

ⓑ 중앙값(median): 모든 범주들을 작은 값부터 큰 값의 순서로 서열화시켰을 때 정확히 가운데 위치하는 범주의 값

ⓒ 최빈값(mode): 빈도 분포에서 가장 많은 빈도수를 차지하는 범주의 값으로 대표값(집중화 경향) 중 가장 신뢰성이 낮음.

③ 산포도: 특정 집중화 경향치를 중심으로 변수의 분포가 흩어져 있는 정도를 의미하며 범위, 편차, 분산, 표준편차, 평균편차, 사분위편차, 변이계수 등

▸ 범위: 변량의 최대값과 최소값의 차이로 산포도를 측정하는 가장 간단한 방법

▸ 편차: 각 응답값에서 평균을 차감한 값으로 편차들을 모두 합하면 항상 "0"이 됨.

▸ 분산: 일정한 분포에 있어서 각 범주들이 평균값을 중심으로 흩어진 정도를 의미하며 편차의 제곱의 평균값으로 나타냄.

▸ 표준편차: 분산에 제곱근을 구한 것으로 의미적으로 분산과 동일하며 산포도 측정 시 가장 많이 사용

▸ 평균편차: 편차에 대한 절대값의 산술평균

▸ 변이계수: 표준편차를 산술평균으로 나눈 값으로 측정치의 크기 차이가 많이 날 때 사용되며 상대적 산포도

④ 도수분포표: 통계자료를 정리할 때 자료의 전체적인 윤곽의 파악을 위해 자료를 일정한 수의 범위로 나누어 분류하고 각 범위 별로 수량을 정리한 표. 기술통계학에서 가장 중요한 역할

키(cm)	계급값	도수	상대도수	누적도수
150 이상 ~ 155 미만	152.5	5	0.05	5
155 이상 ~ 160 미만	157.5	19	0.19	24
160 이상 ~ 165 미만	162.5	21	0.21	45
165 이상 ~ 170 미만	167.5	41	0.41	86
170 이상 ~ 175 미만	172.5	14	0.14	100
합계	–	100	1.00	–

▸ 도수분포표 용어

- 계급: 측정한 변수를 일정한 기준에 따라 구분함.
- 계급값: 계급의 중간값을 나타냄.
- 도수: 각 계급내에서 변량의 값을 나타냄.
- 상대도수: 각 계급의 도수를 전체 도수로 나눈값으로 상대도수의 합은 1이다.
- 누적도수: 특정 계급까지의 도수의 합을 나타냄.

(2) 추리통계

모집단에서 추출된 표본을 분석하여 얻은 통계치를 기초로 모집단의 특성을 추정하는 방법

5) 측정과 척도

① 측정: 어떤 사물이나 대상의 속성을 재기 위하여 수치를 부여하는 형태

② 척도: 사물의 속성을 구체화하기 위한 측정의 단위로 그 종류에는 명목척도, 순서척도, 간격척도, 비척도 등

Check Point.

명목척도 (명명척도)	사물을 구분하기 위하여 임의적으로 숫자를 부여한 척도로 가장 낮은 수준의 척도 예) 성별의 1,2 표시, 운동선수의 등번호 등
순서척도 (서열척도)	사물의 상대적인 서열을 표시하기 위해 쓰이는 척도로 부여된 숫자 간에 순위나 대소를 결정하기 위해 사용 예) 지원자들에 대한 면접관의 선호 순위를 정하시오.(1위– 2위– 3위–) 상품에 대한 좋아하는 것부터 차례로 1위부터 5위까지 정하시오.
간격척도 (등간척도)	사물의 속성에 대한 순위를 부여하되 동일한 측정단위 간격마다 동일한 차이를 부여하는 척도 예) 온도, 학업성취점수, 물가지수 등 당신이 작업을 수행하는 쾌적함을 느끼는 온도에 해당하는 것은?(5~10도, 10~15도, 15~20도, 20~25도, 25~30도)
비척도 (비율척도)	서열성, 등간성을 지니는 동시에 절대영점을 가지는 척도로 모든 수학적 계산이 가능한 가장 상위의 척도 예) 무게, 길이, 신장, 체중, 성과점수 등

6) 정규분포

① 통계분석 시 가장 많이 쓰이는 기본적인 분포로 매우 중요한 역할

② 정규분포의 모양은 평균을 중심으로 좌우 대칭이며 마치 종(bell)을 엎어놓은 것 같은 모양의 분포로 가우스(Gaus) 분포라고도 함.

③ 평균값, 중앙값, 최빈값이 정확히 일치하는 연속형 분포이다. 즉, 평균을 중심으로 표준 편차의 범위 안에 양쪽 옆으로 전체 데이터에 대한 정보가 50%씩 속해 있는 좌우 대칭

④ 분포의 평균과 표준편차가 어떠한 값을 갖더라도 정규곡선과 x축 사이의 전체면적은 1임.

⑤ 평균을 중심으로 양쪽으로 1시그마 안에는 전체 데이터의 정보 중 약 68.3%가 속해 있고, 2시그마 안에는 약 95.4%, 3시그마 안에는 99.7%가 속해 있음.

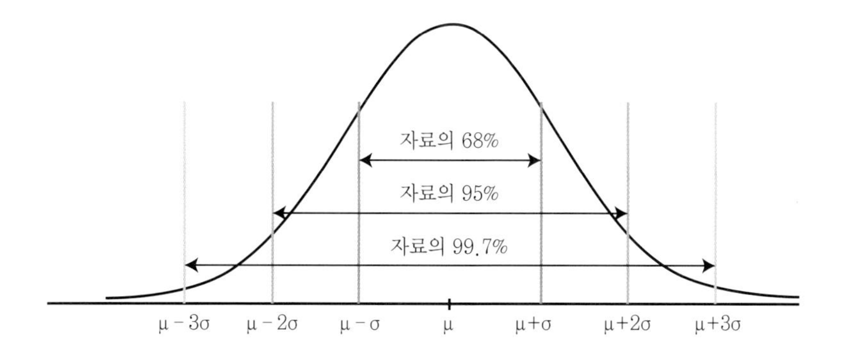

→ 표본의 크기가 클수록 신뢰도는 높아지고 신뢰구간의 폭은 좁아짐.

3. 통계조사

1) 전수조사

① 조사대상으로 하는 모집단의 모든 개개의 단위를 조사하는 방법
② 인구 및 주택조사 센서스, 사업체 총조사, 농업 총조사 등
③ 다른 표본조사나 어떤 정책결정의 중요한 기초자료로 활용
④ 많은 비용과 시간, 인력 필요

2) 표본조사

① 전체 모집단 중 일부의 부분집단을 과학적인 추출방법에 따라 추출하여 그 추출된 일부분을 대상으로 조사하여 얻어진 정보를 토대로 전체 모집단에 대한 특성을 추정하는 것
② 표본조사 장점(전수조사와 비교)
- ▶ 경제성: 비용과 노력이 적게 든다.
- ▶ 신속, 정확성: 전수조사에 비해 신속하고 자료의 규모가 작아 비표본오차를 줄일 수 있어서 정확
- ▶ 심도 있는 조사 가능성: 비용과 시간적 제약으로 전수조사에서 불가능한 심도 있는 조사가 가능
- ▶ 혈액검사, 제품의 파괴검사 등 전수조사가 불가능한 경우에 유용

TIP!

- **비표본오차:** 표본오차를 제외한 오차로서 조사의 기획단계에서부터 최종 보고서에 이르기까지 전과정에서 발생하는 오차
- **표본오차:** 모집단에서 일부를 추출하여 조사한 결과로 모집단 전체에 대한 추론을 하는 해석상에서 생기는 오차

3) 표본추출

확률표본추출법과 비확률표본추출법으로 나뉘며, 통계에서는 개인의 편견을 제거할 수 있는 확률표본추출법을 사용함.

(1) 확률표본추출

① 단순무작위표본추출: 각 표본추출단위가 추출될 확률이 사전에 알려져 있고, "0"이 아니도록 동일하게 표본을 추출하는 방법으로 난수표(0~99) 주로 이용된다. 추출될 확률이 모두 동일하고 주기성이 없음.

② 계통적표본추출: 표본추출단위들 간에 순서가 있는 경우 표본추출간격으로 표본을 추출하는 방법으로 첫번째 표본은 단순무작위표본 추출로 뽑은 후 정해 놓은 표본추출 순서로 표본을 뽑는다.

③ 층화표본추출: 모집단이 다수의 그룹들로서 구분될 수 있는 경우 각 그룹에서 무작위로 표본을 추출하는 방법으로 각 그룹은 성별, 지역별, 연령별, 사회 경제 상태별 특성 등에 따라 부분집단인 층으로 나누어 그 층으로부터 무작위 표본을 추출한다. 하위집단 내 구성은 동질적이며 하위집단 간 구성은 이질적인 특징을 갖는다.

④ 집락표본추출: 모집단이 여러 개의 소그룹들로 구성되어 있으며 각 그룹이 그룹들 간에 유사한 경우 한 그룹 전체를 표본으로 추출하거나 한 그룹 내에서 확률표본을 추출하는 방법으로 추출된 그룹에 대해서 일부 또는 전수조사를 시행한다. 하위집단 내 구성은 이질적이며 하위집단 간 구성은 동질적인 특징을 갖는다. 이 방법은 광범위한 대규모조사에 주로 쓰이는 방법이다.

(2) 비확률표본추출

① 할당표본추출

② 임의표본추출(우발적표집)

③ 유의표집(판단표집)

④ 눈덩이표집(누적표집)

⑤ 의도적 또는 판단표본추출

(3) 확률표본추출방법과 비확률표본추출방법의 비교

확률표본추출	비확률표본추출
무작위표본추출	인위적표본추출
양적조사	질적조사
비용과 시간이 많이 소요	비용과 시간이 적게 소요
표집오차의 추정 가능	표집오차의 추정 불가능
연구대상이 표본으로 추출될 확률이 알려져 있을 경우	연구대상이 표본으로 추출될 확률이 알려져 있지 않을 경우
표본분석결과의 일반화 가능	표본분석결과의 일반화 제약

4) 가설

가설	연구자가 예상하는 연구의 결과에 대해 설명하는 문장
귀무가설(H0)	일반적으로 기각될 것으로 예상하고 세운 가설
연구가설(H1)	연구하고자 하는 연구문제에서 더욱 구체화한 것

5) 유의수준(Level of significance)

① 기준을 p는 0.05 값

② p값이 0.05라는 의미는 귀무가설이 참임에도 불구하고 귀무가설을 기각할 확률이 100번 중에 5번임을 의미

6) 제1종 오류와 제2종 오류

제1종 오류	귀무가설이 맞는데도 불구하고 틀렸다고 결론을 내리는 오류
제2종 오류	연구가설이 맞는데도 불구하고 귀무가설이 맞다고 결정을 내리는 오류

7) 변수

독립변수	종속변수의 원인적 요인 또는 선행요인으로 예측변수
종속변수	독립변수의 변화로 인하여 결과적으로 나타나는 변수
매개변수	독립변수와 종속변수 사이에 존재하는 변수
외생변수	독립변수와 종속변수에 각각 독립적으로 관계를 맺고 있는 변수

8) 대표값(Measures of central tendency, 중심경향값)

▶ 대표값은 측정된 자료에 관한 정보를 하나의 숫자로 요약할 때 사용

평균(Mean)	표본의 값을 모두 더해서 표본수로 나눈 값
최빈값(Mode)	자료의 분포에서 빈도가 가장 많은 값
중앙값(Median)	전체 자료를 크기순으로 나열했을 때 중앙에 위치한 값

9) 분포의 분산(Measures of variability)

분포의 분산은 자료가 퍼진 정도로 분포의 넓이, 변수값 사이의 거리 등을 의미

범위(Range)	범위는 가장 큰 값과 가장 작은 값의 차이를 의미한다. 범위는 분산을 보는 가장 간단한 방법
분산(Variance)	분산은 변수의 흩어진 정도를 계산하는 지표이다. 개별 자료와 평균값의 차이를 편차
	이 편차를 제곱하여 모두 더한 값을 자료의 수(n)에서 1을 뺀 값으로 나눈 것
표준편차 (Standard deviation)	분산에 제곱근을 취한 값으로 자료가 퍼진 정도
	평균 주변에 자료들이 얼마나 퍼져있는지를 보는 것으로 많이 퍼져 있을수록 표준편차는 커짐
표준점수 (Standard score, Z score)	개별 자료와 평균의 차이를 표준편차로 나눈 것을 표준점수
사분위 범위 (Interquartile range)	자료를 크기순으로 배열하고, 누적 백분율을 4등분한 각 점에 해당하는 값

10) 산포도

산포도란 두 변수의 관계를 그림으로 표현한 것

11) 상관계수(Correlation coefficients)

① 상관계수는 두 변수(예를 들어 X, Y)의 상관관계를 숫자로 표현한 것

② 상관계수는 −1에서 +1 사이의 값을 의미

12) 분포의 형태

왜도	좌우가 같은 분포의 모양을 대칭이라고 하며 같지 않은 분포를 비대칭 비대칭 분포에서 한쪽으로 치우친 정도
첨도	자료의 분포에서 최빈값 주변이 뾰족한지, 평평한지 정도

13) 모수통계의 종류

(1) t-검정(t-test)

▶ 모수적 통계검정으로 두 군의 평균 차이를 비교할 때 쓰는 통계검정방법

독립표본 t-검정 (Independent t-test)	• 독립된 두 개의 군의 평균을 비교할 때 독립표본 t-검정을 사용 • 독립표본 t-검정은 정규성을 만족할 뿐만 아니라 두 군의 분산 또한 같아야 함 • 만약 정규성을 만족하지 않을 경우: 비모수적 방법인 Mann-Whitney U test를 사용
대응표본 t-검정 (Paired t-test)	• 대응표본 t-검정은 짝지어진 자료의 분석에 사용. 대부분 치료 전, 후의 자료를 통해 치료가 효과 있는지 알아보는 검정방법이 대응표본 t-검정 • 이처럼 같은 사람들로부터 두 번 측정한 경우나 짝을 이룬 대상자를 측정한 경우 대응표본 t-검정을 사용 • 정규성을 만족하지 않을 경우: 비모수적 방법인 Wilcoxon's signed-ranks test를 사용

(2) 분산분석(Analysis of variance, ANOVA)

① 분산분석은 세 군 이상의 평균을 동시에 비교하기 위해 사용하는 통계분석 방법

② 연속형 변수(등간척도, 비율척도)로 측정된 자료여야 하고, 정규성 등 만족해야 함.

③ 분산분석을 통해 통계적 유의성이 확인되면 대응별 다중비교를 하기 위해 Turkey, Duncan, Scheffe 등의 방법으로 사후검정(Post-Hoc test)을 시행해야 함.

(3) 카이제곱 검정(Chi-square test, X2 검정)

① 카이제곱 검정은 비모수적 통계검정방법

② 명목척도로 측정된 자료에서 사용할 수 있음.

(4) 상관분석(Correlation test)

① 상관분석은 하나 또는 그 이상의 변수들의 관련성 정도를 검증하기 위한 분석

② 상관관계계수(r)로 상관성 정도를 확인

③ 주로 비율척도로 구성된 변수의 상관성을 확인할 때 사용

이변량 상관관계 (Bivariate correlation)	변수 간의 상관관계를 검증하고자 할 때 사용
편(부분) 상관관계 (Partial correlation)	변수 간의 관계에서 다른 변수의 영향을 통제하고 검증하고자 할 때 사용

(5) 고급통계검정(Advanced statistical tests)

① 회귀분석(Regression)

▶ 한 변수를 종속변수로 놓고 다른 변수를 독립변수로 놓아 독립변수가 종속변수에 미치는 영향을 통계적으로 규명하는 기법

▶ 회귀분석은 독립변수의 변화에 따라 종속변수가 어떻게 변화하는지를 확인하는 방법

단순회귀분석 (simple regression)	• 독립변수의 값을 기반으로 종속변수 값의 추정치에 대한 평균들을 계산하는 것 • 산점도 내에 점들의 관계 양상을 직선으로 설명 • 이 선은 두변수 사이의 선형관계(linear relationship) 또는 연관성을 갖음
다중회귀분석 (multiple regression)	• 독립변수가 2개 이상인 경우의 회귀분석으로 단순회귀 분석의 확장

② 공분산분석(Analysis of covariance, ANCOVA)

▶ 분산분석과 마찬가지로 여러 군 간의 차이를 검증하는 것이지만 외생변수(종속변수에 영향을 미칠 수 있으나 실험디자인에서 독립변수로 설정되지 않은 변수)를 공변량(covariate)으로 처리하여 사전에 군 간의 평균이 동일해지도록 통제하는 방법

▶ 공분산분석은 ANOVA와 회귀분석이 합쳐진 것

4. 병원통계

① 병원이용률

$$= \frac{\text{조정환자 수}}{\text{연 가동병상 수}} \times 1{,}000$$

② 병상이용율(병상가동률)

$$= \frac{\text{1일 평균 재원환자 수}}{\text{병상 수}} \times 100$$

③ 병상회전율

$$= \frac{\text{평균 퇴원환자 수}}{\text{평균 가동 병상 수}} \times 1{,}000$$

④ 병상점유율

$$= \frac{\text{1일 평균 병상점유 수}}{\text{인구}} \times 1{,}000$$

⑤ 입원율

$$= \frac{\text{대상인구 중 연간 입원환자 수}}{\text{대상인구}} \times 1{,}000$$

⑥ 일일평균 외래 환자수

$$= \frac{\text{기간 중 외래환자 수}}{\text{기간 중 외래 경영일 수}}$$

⑦ 병상 회전간격

$$= \frac{\text{연 가동병상 수} - \text{퇴원환자 총 재원일 수}}{\text{퇴원실 인원 수}}$$

⑧ 평균 재원일 수

$$= \frac{\text{기간 중 재원일 수}}{\text{기간 중 퇴원환자 수}}$$

5. 보건지표

1. 출산통계

(1) 조출생률(보통출생률, 일반출생률)

$$= \frac{\text{1년간 총 출생아 수}}{\text{당해연도 연앙인구}} \times 1{,}000$$

→ 가족계획사업 효과 판정으로 가장 좋은 지표

TIP!

연앙인구: 출생률과 사망률을 산출할 때 보통 그 해의 중간인 7월 1일을 기준으로 하는데 이를 연앙인구라고 한다.

(2) 일반출산률

$$= \frac{\text{1년간 총 출생아 수}}{\text{당해연도 가임연령(15～49세) 여자인구}} \times 1{,}000$$

(3) 재생산율

① 합계출산율: 한 여성이 평생 동안 평균 몇 명의 자녀를 출산하는가를 나타냄.

② 재생산율: 한 여성이 평생 동안 평균 몇 명의 여자아이를 출산하는가를 나타냄.

③ 총재생산율: 한 여성이 평생 동안 여아를 총 몇 명 출산하는가를 나타냄(어머니의 사망률 고려하지 않음)

$$= \frac{\text{합계출산율} \times \text{여아출생 수}}{\text{총출생 수}}$$

④ 순재생산율: 일생 동안 출산한 여아의 수 가운데 출산가능 연령에 도달한 생존여자의 수 만을 나타낸 것으로 가임기간 동안 일생에 여아를 몇 명 출산하였는가를 나타냄(어머니의 사망률 고려)

$$= \text{합계출산율} \times \frac{\text{여아출생 수}}{\text{총출생 수}} \times \frac{\text{가임연령시 생존 수}}{\text{영아출생 수}}$$

▸ 순재생산율 1.0: 인구 증감이 없이 1세대와 2세대 간의 여자 수가 같다.

▸ 순재생산율 1.0 이상: 다음세대 인구의 증가

▸ 순재생산율 1.0 이하: 다음세대 인구의 감소

2) 사망통계

(1) 조사망률(보통사망률)

$$= \frac{\text{1년간 총 사망자 수}}{\text{당해연도 연앙인구}} \times 1{,}000$$

→ 인구집단의 사망수준을 나타내는 가장 기본적인 지표

(2) 사산율

$$= \frac{\text{임신 28주 이후의 총 사산아 수}}{\text{어떤 연도의 총 출산아 수}} \times 1{,}000$$

(3) 주산기사망률

$$= \frac{\text{연간 임신 만28주 이후 사산아 수+생후 1주 미만 사망 수}}{\text{연간 출생아 수}} \times 1{,}000$$

(4) 신생아사망률

① 초생아사망률

$$= \frac{\text{어떤 연도의 생후 7일 이내 사망한 신생아 수}}{\text{어떤 연도의 총 출생아 수}} \times 1{,}000$$

② 신생아사망률

$$= \frac{\text{어떤 연도 중 생후 28일 미만의 사망자 수}}{\text{어떤 연도의 총 출생아 수}} \times 1{,}000$$

③ 신생아후기사망률

$$= \frac{\text{어떤 연도 중 생후 28일부터 1년 미만의 사망자 수}}{\text{어떤 연도의 총 출생아 수}} \times 1{,}000$$

(5) 영아사망률

$$= \frac{\text{연간 영아(생후 1년 미만) 사망자 수}}{\text{연간 출생아 수}} \times 1{,}000$$

→ 한 국가나 지역사회의 보건(건강)수준을 나타내는 가장 대표적인 지표

Check Point.

α-Index

$$= \frac{\text{연간 영아(생후 1년 미만) 사망자 수}}{\text{연간 출생아 수}} \times 1{,}000$$

α-Index 값이 1.0이면 영아사망이 전부 신생아사망이라는 것이며 이는 예방 가능한 신생아 후기 사망이 없으므로 모자보건의 수준이 높음을 의미한다. 따라서 α-Index 값이 1.0에 가까울수록 선진국형이며 보건수준이 높다.

(6) 모성사망률

모성사망: 임신, 분만, 산욕의 합병증으로 인한 모성 사망을 의미

$$= \frac{\text{연간 모성 사망자 수}}{\text{연간 가임기여성 수}} \times 100{,}000$$

(7) 모성사망비

$$= \frac{\text{연간 모성 사망자 수}}{\text{연간 출생아 수}} \times 100{,}000$$

(8) 비례사망률

$$= \frac{\text{어떤 연도의 특정원인에 의한 사망자 수}}{\text{어떤 연도의 사망자 수}} \times 1{,}000$$

(9) 비례사망지수(PMI)

$$= \frac{\text{어떤 연도의 50세 이상 사망자 수}}{\text{어떤 연도의 사망자 수}} \times 100$$

→ 총 사망자 수에 대한 50세 이상의 사망자 수를 백분율로 표시한 지수를 의미

- PMI가 크다는 것은 50세 이상의 사망자 수가 많아 장수인구가 많고 건강수준이 높음을 의미
- PMI가 낮다는 것은 평균수명이 그 원인으로 낮은 연령층의 사망에 관심을 가져야 함을 의미

(10) 사인별사망률

$$= \frac{\text{어떤 연도의 특정 사인에 의한 사망자 수}}{\text{어떤 연도의 연앙인구}} \times 100{,}000$$

(11) 사망성비

$$= \frac{\text{남자 사망 수}}{\text{여자 사망 수}} \times 100$$

3) 3대 보건(건강)지표

(1) WHO 3대 보건(건강)지표

① 평균수명: 0세의 평균여명

② 조사망률(보통사망률)

③ 비례사망지수(PMI)

(2) 국가 및 지역간 3대 보건(건강)지표

① 평균수명

② 영아사망률

③ 비례사망지수

4) 질병 통계지표

(1) 발생률

$$= \frac{\text{어떤 기간 동안 환자 발생 수}}{\text{어떤 기간 동안 위험에 노출된 인구 수}} \times 1{,}000$$

(2) 발병률

$$= \frac{\text{연간 발병자 수}}{\text{위험에 노출된 인구 수}} \times 1{,}000$$

→ 한정된 기간에 한해서 전체 인구당 몇 명에게 특정 질병이 발생하였는지를 측정하는 것으로 감염병 같이 한정된 집단의 특정 유해 조사자료에 한해서 가치가 높음.

▸ 2차 발병률

$$= \frac{\text{최초 환자와 접촉하여 발병된 2차 발병자}}{\text{최초 환자와 접촉자(1차 발병자와 면역자 제외)}} \times 100$$

→ 발병환자를 가진 가구의 감수성 있는 가구원 중에 이 병원체의 최장 잠복기 내에 발병하는 환자의 비율로 감염성 질환에서 병원체의 감염력 및 전염력의 간접 측정에 유용하게 사용되어 전염병 관리 수단의 효과를 평가하는데 효과적인 지표

(3) 유병률

감수성 있는 가구원: 이 병원체에 특이항체를 가지고 있지 않은 사람을 의미

$$= \frac{\text{어떤 시점의 환자 수}}{\text{어떤 시점의 인구 수}} \times 1{,}000$$

→ 어떤 시점에서 조사 당시 질병이 있는 모든 사람을 의미하며 이환 시기가 짧으면 유병률이 낮고 이환 시기가 길면 유병률이 높다.(유병률 = 발생률×이환 기간)

▸ 감염병 유행기간이 짧으면 발생률과 유병률은 비슷해진다.

▸ 급성 감염병: 발생률은 높고, 유병률은 낮다.

▸ 만성 감염병: 발생률은 낮고, 유병률은 높다.

(4) 치명률

$$= \frac{\text{어떤 질병에 의한 사망자 수}}{\text{어떤 질병에 이환된 환자 수}} \times 100$$

→ 어떤 질병에 이환된 사람 중에 사망한 사람을 의미하며 질병의 위험도 및 전염 정도를 나타낸다. 치명률이 높다는 것은 그 질병에 대한 면역력과 그 인구집단의 건강도가 낮고, 병원체의 독성과 감염량이 높다는 것을 의미

(5) 이환률

$$= \frac{\text{그 기간의 환자 수}}{\text{어떤 기간의 중앙인구(연앙인구)}} \times 1{,}000$$

→ 이환율은 유병률보다 좀 더 넓은 의미로 적용된다.

part

05

영역별 보건

제16장 학교보건

1. 학교보건의 이해

1) 학교보건의 개념

① 학생들과 교직원 및 그 가족, 지역사회의 건강을 보호하고 유지 및 증진을 목적으로 학교의 보건관리와 환경위생정화에 필요한 사항을 규정하는 등의 학교에서 이루어지는 보건활동

② 학교보건법의 목적: 학교의 보건관리와 환경위생 정화에 필요한 상항을 규정하여 학생과 교직원의 건강을 보호, 증진함을 목적으로 한다.(학교보건법 제1조)

2) 학교보건교육의 중요성

① 학교는 한 곳에 대상자들이 모두 모여 있어 집단교육의 실시가 용이

② 학생 시기에 모든 생활습관이 형성되는 시기로 감수성이 예민하고 변화가 용이하여 습득한 건강지식과 태도는 일생 동안 영향을 미쳐 습관화와 생활화가 쉬워 건강한 성인으로 성장 가능

③ 학생인구는 총인구의 25% 정도로 대상 인구 규모가 크고 지역사회중심체로서의 역할을 하여 학생을 통해 파급되는 효과가 크다.

④ 학생은 보건교육의 효과가 비교적 빨리 나타나고 성장발달 시기에 질병의 조기발견이 가능

⑤ 학교의 학생들을 대상으로 하는 보건교육은 가족 및 지역사회에 간접교육 파급효과 기대

3) 학교보건사업 모형(Allensworth & Kolbe)의 구성요소

① 학교보건정책 및 건강한 학교 환경

② 학교보건교육

③ 학교보건서비스

④ 학교와 가족, 지역사회와의 연계

⑤ 학교체육교육

⑥ 학교급식

⑦ 건강상담

⑧ 교직원의 건강증진

2. 학교보건의 내용

1) 건강서비스

(1) 건강검사

① 체격검사(체격 성장 정도 측정): 키, 몸무게, 가슴둘레, 앉은키 등

② 체력검사: 달리기, 제자리 멀리뛰기, 팔굽혀 매달리기, 윗몸 일으키기, 체질량지수, 체지방률 등

(2) 건강검진

① 눈, 귀, 코, 목, 피부, 구강 검사: 시력, 색각 이상, 안질환, 청력, 귓병, 비염, 갑상선(갑상샘) 이상, 편도선 비대, 아토피성 피부염, 구강상태 등

② 근, 골격, 척추 검사

③ 기관능력 검사: 호흡기, 소화기, 순환기, 비뇨기, 신경기 등

④ 병리검사: 혈액검사, 소변검사, 혈액형검사, 결핵검사, 간염검사, 혈압

(3) 학교 건강상담

▸ 보건교사 주로 담당

Check Point.

보건교사 직무

1. 학교보건계획의 수립
2. 학교환경위생의 유지관리 및 개선에 관한 사항
3. 학생 및 교직원에 대한 건강진단 실시의 준비와 실시에 관한 협조
4. 각종 질병의 예방처치 및 보건지도
5. 학생 및 교직원 건강관찰과 학교 의사 건강상담과 건강평가 등의 실시 협조
6. 신체허약 학생에 대한 보건지도
7. 보건지도를 위한 학생가정의 방문
8. 교사의 보건교육에 관한 협조와 필요시의 보건교육
9. 보건실의 시설, 설비 및 약품 등의 관리, 보건교육자료의 수집, 관리
10. 학생건강기록부의 관리
11. 다음의 의료행위(간호사)
   ① 외상 등 흔히 볼 수 있는 환자의 진료
   ② 응급을 요하는 자에 대한 응급처치
   ③ 부상과 질병의 악화를 방지하기 위한 처치
   ④ 건강진단결과 발견된 질병자의 요양지도 및 관리
   ⑤ 의약품의 투여
12. 기타: 학교의 보건관리

(4) 학교 감염병 관리

▶ 초등학교, 중학교의 장은 신입생 입학한 날부터 90일 이내에 시장, 군수, 구청장에게 예방접종증명서를 발급받아 예방접종을 모두 받았는지 검사한 후 이를 교육정보시스템에 기록하여야 한다.

▶ 감염병 유행 시 휴교 실시 → 각 학교의 장

Check Point.

학교장의 의무

학교 내에서 발생하는 모든 보건문제에 대한 책임은 학교장에게 있다.

1. 학교의 환경위생 및 식품위생의 유지, 관리
2. 학교환경위생 정화구역의 관리
3. 건강검사의 실시
4. 학생건강증진계획의 수립, 시행
5. 건강검사기록
6. 감염병에 감염되었거나 감염된 것으로 의심되거나 감염될 우려가 있는 학생 및 교직원에 대해 등교 중지시킬 수 있다.
7. 학생 및 교직원의 보건관리
8. 보건교육
9. 예방접종 완료 여부 검사
10. 질병의 치료 및 예방조치
11. 학생 안전관리
12. 질병 예방과 휴교조치

2) 학교 환경위생 관리

(1) 학교 내 환경관리

학교의 장은 교육부령으로 정하는 바에 따라 교사 안에서의 환기, 채광, 조명, 온도, 습도의 조절, 상하수도, 화장실의 설치 및 관리, 오염공기, 석면, 폐기물, 소음, 휘발성유기화합물, 세균, 먼지 등의 예방 및 처리 등 환경 위생과 식기, 식품, 먹는 물의 관리 등 식품위생을 적절히 유지 및 관리하여야 한다.

Check Point.

환기 · 채광 · 조명 · 온습도의 조절 기준과 환기 설비의 구조 및 설치기준

1. 환기
   1) 환기의 조절기준: 환기용 창 등을 수시로 개방하거나 기계식 환기설비를 수시로 가동하여 1인당 환기량이 시간당 21.6 ㎥ 이상이 되도록 할 것
   2) 환기설비의 구조 및 설치기준(환기설비의 구조 및 설치기준을 두는 경우에 한한다)
      (1) 환기설비는 교사 안에서의 공기의 질의 유지기준을 충족할 수 있도록 충분한 외부공기를 유입하고 내부공기를 배출할 수 있는 용량으로 설치할 것
      (2) 교사의 환기설비에 대한 용량의 기준은 환기의 조절기준에 적합한 용량으로 할 것
      (3) 교사 안으로 들어오는 공기의 분포를 균등하게 하여 실내공기의 순환이 골고루 이루어지도록 할 것
      (4) 중앙관리방식의 환기설비를 계획할 경우 환기 닥트는 공기를 오염시키지 아니하는 재료로 만들 것

2. 채광(자연조명)
   ① 직사광선을 포함하지 아니하는 천공광에 의한 옥외 수평조도와 실내조도와의 비가 평균 5% 이상으로 하되, 최소 2% 미만이 되지 아니하도록 할 것
   ② 최대조도와 최소조도의 비율이 10대 1을 넘지 아니하도록 할 것
   ③ 교실 바깥의 반사물로부터 눈부심이 발생되지 아니하도록 할 것

3. 조도(인공조명)
   ① 교실의 조명도는 책상면을 기준으로 300 lux 이상이 되도록 할 것
   ② 최대조도와 최소조도의 비율이 3대 1을 넘지 아니하도록 할 것
   ③ 인공조명에 의한 눈부심이 발생되지 아니하도록 할 것

4. 실내온도 및 습도
   ① 실내온도는 섭씨 18℃ 이상 28℃ 이하로 하되, 난방온도는 섭씨 18℃ 이상 20℃ 이하, 냉방온도는 섭씨 26℃ 이상 28℃ 이하로 할 것
   ② 비교습도는 30% 이상 80% 이하로 할 것

(2) 학교 밖 환경관리

① 학교 환경위생 보호구역의 범위
- ▶ 절대보호구역: 학교 출입문으로부터 직선거리 50 m까지 지역
- ▶ 상대보호구역: 학교 경계선으로부터 직선거리 200 m까지 지역 중 절대정화구역을 제외한 지역

② 교육환경보호구역 관리

ⓐ 보호구역이 설정된 학교장이 관리

ⓑ 보호구역이 중복되는 경우
- ▶ 상 · 하급 학교 간의 정화구역이 중복되면 하급학교(단, 유치원인 경우 상급학교)에서 관리

▶ 같은 급인 경우 학생 수가 많은 학교에서 관리
▶ 절대보호구역과 상대보호구역이 서로 중복되는 경우는 그 중복된 보호구역에 대한 관리는 절대보호구역이 설정된 학교의 장이 관리

3) 학교의 보건인력

① 학교의사, 학교약사, 보건교사 외에 담임교사, 체육교사, 상담교사, 학부모 등의 인력도 포함되며 특히 초등교육의 보건교육에서 가장 중요한 역할을 하는 보건인력은 담임교사이다.

② 학교에 다음과 같이 학교의사(치과의사 및 한의사를 포함한다), 학교약사와 보건교사를 둘 수 있다.
▶ 대학을 제외한 모든 학교에 보건교사를 배치
▶ 36학급 이상의 학교에는 2명 이상의 보건교사를 배치

③ 학교의사, 학교약사는 각각 그 면허가 있는 사람 중에서 학교장이 위촉한다.

④ 학교의사의 직무
▶ 학교보건계획의 수립에 관한 자문
▶ 학교 환경위생의 유지 · 관리 및 개선에 관한 자문
▶ 학생과 교직원의 건강진단과 건강평가
▶ 각종질병의 예방처치 및 보건지도
▶ 학생과 교직원의 건강상담
▶ 그 밖에 학교보건관리에 관한 지도

⑤ 학교약사의 직무
▶ 학교보건계획의 수립에 관한 자문
▶ 학교 환경위생의 유지 · 관리 및 개선에 관한 자문
▶ 학교에서 사용하는 의약품 및 독극물의 관리에 관한 자문
▶ 학교에서 사용하는 의약품 및 독극물의 실험 · 검사
▶ 그 밖에 학교보건관리에 관한 지도

⑥ 학교보건위원회
▶ 학교보건법에 따른 기본계획 및 학교보건의 중요시책을 심의하기 위하여 교육감 소속으로 시 · 도학교보건위원회를 둔다.
▶ 시 · 도학교보건위원회는 학교의 보건에 경험이 있는 15명 이내의 위원으로 구성한다.

1. 학교보건의 이해

1) 보건교육의 개념

① (R. Grout 교수) 보건교육: 건강에 관한 지식을 교육이라는 수단을 통해 개인, 집단 또는 지역사회 주민의 바람직한 행동으로 바꾸어 놓는 것

② (국민건강증진법) 보건교육: 개인 또는 집단으로 하여금 건강에 유익한 행위를 자발적으로 수행하도록 하는 교육

③ (미국 보건교육용어 제정위원회) 보건교육: 개인 또는 집단의 건강에 관여하는 지식, 태도 및 행위에 영향을 미칠 목적으로 학습 경험을 베풀어 주는 과정

2) 보건교육 학습요구 유형(Bradshaw)

(1) 규범적 요구

보건의료전문가에 의해 필요하다고 인정된 요구이며 전문가의 전문성이나 지식, 경험 등에 의해 영향을 받는다.

(2) 내면적 요구

학습자의 바라는 대로 정의된다. 교육 하기 전의 상태로 학습자가 교육의 필요성이나 의문들을 품고 있는 상태이다.

(3) 외향적 요구

학습자가 바라는 대로 교육에 대한 직접적인 요청이나 나름의 보건행위 등을 통하여 말이나 행동으로 나타낸 상태이다.

(4) 상대적 요구

다른 집단에 대한 차이의 특성을 검토하고 그 차이에 대하여 비롯된 요구 상태이다.

3) 보건교육의 목적(WHO)

① 지역사회발전에 구성원의 건강이 중요함을 인식시킨다.

② 지역사회구성원 개인이 스스로의 건강을 관리할 수 있도록 한다.

③ 보건교육의 최종목적은 지역사회 구성원 스스로가 건강을 관리함으로 지역사회가 발전할 수 있는 중요한 역할을 수행하는 것임을 인식하여 실천하도록 하는 것이다.

4) 보건교육의 내용(국민건강증진법)

① 국가 및 지방자치단체는 모든 국민이 건강생활을 실천할 수 있도록 그 대상이 되는 개인 또는 집단의 특성, 건강상태, 건강의식 수준 등에 따라 적절한 보건교육을 실시한다.

▸ 금연 · 절주 등 건강생활의 실천에 관한 사항
▸ 만성퇴행성질환 등 질병의 예방에 관한 사항
▸ 영양 및 식생활에 관한 사항
▸ 구강건강에 관한 사항
▸ 공중위생에 관한 사항
▸ 건강증진을 위한 체육활동에 관한 사항
▸ 기타 건강증진사업에 관한 사항

② 국가 또는 지방자치단체는 국민건강증진사업관련 법인 또는 단체 등이 보건교육을 실시할 경우 이에 필요한 지원을 할 수 있다.

③ 보건복지부장관, 시 · 도지사 및 시장 · 군수 · 구청장은 제2항의 규정에 의하여 보건교육을 실시하는 국민건강증진사업관련 법인 또는 단체 등에 대하여 보건교육의 계획 및 그 결과에 대한 자료를 요청할 수 있다.

④ 제1항의 규정에 의한 보건교육의 내용은 대통령령으로 정한다.

2. 보건교육의 방법 및 평가

1) 보건교육의 실행방법

① 개별접촉교육: 가정방문, 전화 또는 우편면담 등의 대상자의 개인적 특성을 고려한 맞춤형 상담 보건교육으로 교육의 효과적 측면에서 가장 좋은 방법이다. 공개적인 교육이 어려운 건강문제 적용에 바람직하며 노인 또는 저소득층 대상에 적합한 교육방법이다.

② 집단접촉교육: 비슷한 문제를 갖고 있는 집단의 교육법으로 비교적적은 비용으로 다수의 행동변화 유도 가능한 교육 방법이다. 강의, 그룹토의, 심포지엄, 분단토의, 패널토의, 브레인스토밍 등이 있다.

③ 대중접촉교육: 감염병 유행이나 새로운 질병발생 등의 가장 많은 다수에게 긴급히 알려야 하는 건강문제에 대한 방법으로 대중매체(TV, 라디오, 영화, 신문기사, 전단, 인쇄물, 포스터 등)과 캠페인 등이 주로 이용되는 교육 방법이다.

2) 보건교육방법의 종류

상호작용 방법	개별학습 방법	교사중심 방법	체험 학습 방법
상담, 심포지엄, 집단토의, 배심토의, 분임토의, 브레인스토밍 등	프로그램 학습, 컴퓨터 보조 학습	강의, 시범	역할극, 견학

Check Point.

보건교육방법

- 상담: 상담자가 도움을 필요로 하는 피상담자에게 전문적인 지식을 가지고 현실적이며 합리적이고 효율적인 행동양식을 증진시키거나 의사결정을 내릴 수 있도록 도와주는 방법으로 집단교육보다 효과가 높다.
- 강의: 교육자가 학습자에게 학습내용의 전달에 초점을 두는 전통적인 교육 방법으로 지식의 일방적 주입 방법이다. 경제적이지만 교육자가 학습자의 학습진행 정도를 인지하기 어렵다.
- 심포지엄: 3~5명의 전문가가 동일한 주제에 대하여 10~15분 발표하고 발표내용을 중심으로 사회자가 청중을 공개토론에 참여시키는 교육 방법으로 사회자는 관련 분야의 전문가 이어야 하며 청중 역시 주제에 관하여 전문지식을 가진 전문가들로 구성된다. 심포지엄은 전문성과 관계가 깊다.
- 패널토의(배심토의): 특정 주제에 대하여 청중 앞에서 각기 상반되는 의견을 가진 4~7명의 소수의 전문가인 대표자들이 사회자의 진행에 따라 그룹 토의하는 방법으로 전문가들의 발표 후에 청중의 질의응답을 통해 전체 토의가 진행된다.
- 분단토의(버즈세션): 전체를 여러 개의 분단으로 나누어 토의한 후 다시 전체회의에서 종합하는 방법으로 '와글와글 학습법'이라고도 한다. 참석인원이 많아도 진행이 가능하며 교육대상자에게 각각 참여 기회가 주어진다. 사회성과 반성적 사고능력이 길러진다.
- 집단토론: 특정 주제에 대하여 집단 내의 참가자들이 자유롭게 의견을 교환하고 결론을 내리는 회화식 방법으로 토론 인원은 5~10명이 바람직하다.
- 포럼: 사회자의 진행 하에 2명 이상의 전문가와 여러 구성원이 제시된 과제에 대하여 공개적으로 토의하는 방법으로 세미나, 심포지엄, 패널토의와 비슷하다.
- 브레인스토밍: 일정한 주제나 특별한 문제 해결을 위해 여러 사람이 모여 자유 발언을 통하여 갑자기 떠오르는 생각을 정리하여 논리화하는 방법으로 아이디어를 내어 어떠한 계획을 세우거나 창조적인 아이디어가 필요할 때 사용되는 방법으로 '팝콘회의'라고도 한다.
- 견학(현지답사): 현장을 직접 방문하여 관찰하고 경험하여 배우는 교육활동으로 시간과 경비가 많이 든다.
- 시범: 보건교육에 가장 많이 사용되는 방법으로 이론적인 설명만으로 교육이 부족한 경우 교육자가 학습시키고자 하는 실제 장면을 만들어 지도하는 교육방법으로 현실적으로 교육내용을 실천 가능하게 하는 효과적인 방법이다.
- 역할극: 학습자가 어떤 상황에 처한 사람들의 입장이나 환경을 극화한 것으로 연기를 통해 실제 그 상황에 놓인 사람들의 입장을 이해하고 상황분석을 통해 해결방법을 모색하는 학습 방법이다.
- 그 외 온라인교육, 프로젝트교육, 웹기반 교육, 인형극 등이 있다.

3) 보건교육 평가

(1) 평가유형

① 진단평가(사전평가): 학습자에게 교수, 학습을 투입하기 전에 학습자의 특성을 파악하기 위한 평가로 적절한 수업전력을 투입하기 위한 목적이다.

② 형성평가: 교수, 학습이 진행되고 있는 도중에 학생에게 feedback을 주고, 교육과정 및 수업방법을 개선시키기 위한 평가로 학습이 유동적으로 이루어지는 과정에서 교수, 학습을 개선하기 위한 목적이다.

③ 총합평가: 교수, 학습의 효과와 관련해서 학습이 끝난 다음에 교육 목표의 달성 여부를 종합적으로 판정하는 평가이다.

(2) 평가도구의 조건

보건교육 시행 후 바른 평가를 위하여 필요한 평가 도구로 타당도, 신뢰도, 객관도, 실용도 등이 있다.

제18장 산업보건

1. 산업보건의 정의

산업보건이란 모든 직업의 근로자들이 신체적, 정신적, 사회적 안녕 상태를 유지 및 증진시키기 위하여 작업조건으로 인한 질병을 예방하고 건강에 유해한 작업 조건으로부터 근로자들을 보호하여 근로자를 생리적으로나 심리적으로 적합한 작업환경으로 배치하는 것(국제노동기구(ILO), 세계보건기구(WHO)공동위원회 정의)

2. 산업보건의 역사

1) 우리나라 산업보건 역사

시기	내용
1953년	근로기준법 제정
1963년	산업재해보상보험법 제정
1977년	환경보전법 제정
1981년	산업안전보건법 제정
1983년	환경영향평가법 제정

2) 외국의 산업보건 역사

시기	인물	내용
B.C. 460~377	히포크라테스 (Hippocrates)	광부의 호흡곤란과 기침, 연중독에 관한 가장 오랜 기록
A.D. 23~79	마이어	광산근로자의 분진 흡입 방지 위한 호흡 마스크 사용
1494 ~ 1555	아그리콜라	'금속에 대하여' 저술
1633 ~ 1714	라마찌니 (Ramazzini)	산업보건학의 시조, 직업병 저서 '근로자의 질병' 저술, 작업환경과 질병의 관련성 언급
1755	포트 (Perivical Pott)	굴뚝청소부의 직업병 '음낭암' 발견
1819	영국정부	공장법 제정(근로시간 제한 및 근로자 건강보호 강조)
1883~1884	비스마르크	근로자질병보호법(1883), 공장재해보험법(1884) 제정

1863~1970	해밀턴	미국의 직업보건 선구자
1919	국제노동기구(ILO)	직업보건에 관한 국제기구 창설

3. 근로환경

1) 근로 강도

① 에너지 대사율(RMR: Relative Metabolic Rate)

$$= \frac{\text{작업시 소비칼로리} - \text{안정시 소비칼로리}}{\text{기초대사량(BMR)}} = \frac{\text{작업대사량}}{\text{기초대사량(BMR)}}$$

→ 작업하는 동안 필요로 하는 칼로리

② 여성 근로자의 작업 근로 강도는 RMR 2.0 이하로 제한

TIP!

근로 강도 구분
- RMR 0~1: 경노동, 의자에 앉아서 손으로 하는 작업
- RMR 1~2: 중등노동, 6시간 이상 쉬지 않고 하는 작업
- RMR 2~4: 강노동, 전형적인 지속 작업
- RMR 4~7: 중노동, 휴식의 필요가 있는 작업
- RMR 7~ : 격노동, 중도적 작업

2) 근로시간

① 1919년: 1일 근로 8시간, 1주 48시간(국제노동헌장)

② 1931년 이후: 1일 근로 8시간, 1주 40시간(근로기준법 근거)

3) 근로자 영양관리

① 소음작업: 비타민 B_1

② 고온작업: 식염, 비타민 A, 비타민 B_1, 비타민 C

③ 저온작업: 지방질, 비타민 A, 비타민 B_1, 비타민 C, 비타민 D

④ 강노동작업: 칼슘 강화식품, 비타민 류

TIP!

근로기준법(근로시간)
- 1주 간의 근로시간은 휴게시간을 제외하고 40시간을 초과할 수 없다.
- 1일의 근로시간은 휴게시간을 제외하고 8시간을 초과할 수 없다.
- 사용자는 근로시간이 4시간인 경우에는 30분 이상, 8시간인 경우에는 1시간 이상의 휴게시간을 근로시간 도중에 주어야 한다.

4) 작업환경관리 대책

① 기본원리(4대원칙): 대치, 격리, 환기, 교육

② 유해인자 보호순서: 대치 → 격리 or 환기 → 개인보호구착용 → 교육

③ 유해물질 허용 기준 정의

▸ TLVs(Threshold limit values): 미국의 ACGIH에 의해 선정되는 기준으로 유해물질 함유 공기 중에서 작업자가 연일 노출되어도 건강 장해를 일으키지 않는 물질의 농도를 의미

▸ TLVs 정의에 포함된 원칙

- TLVs는 권장농도로서 ACGIH 'TLV 위원회'의 견해이다.
- 대부분의 근로자가 장시간 노출되어도 견딜 수 있는 유해물질의 농도가 존재한다.
- 감수성이 높은 소수의 근로자는 TLVs 미만이라고해서 보호받을 수 있는 것은 아니다.

▸ 시간가중평균농도(TLVs-TWA): 정상근무(1일 8시간, 1주일 40시간)할 경우에 근로자에게 노출되어도 아무런 해를 주지 않는 평균 농도 값으로 1일 8시간 작업을 기준으로 하여 유해요인의 측정농도에 발생시간을 곱하여 8시간으로 나눈 농도를 말하며 산출공식은 다음과 같다.

TWA 농도 = (C1T1+C2T2+...+C8T8)/8

▸ 단시간노출허용농도(TLVs-STEL): 근로자가 1회에 15분간 유해 인자에 노출되어도 증상이 나타나지 않는 허용농도를 의미하며, 이 농도 이하에서는 1회 노출 간격이 1시간 이상인 경우 1일 작업 시간 동안 4회까지 노출이 허용될 수 있는 농도를 의미한다. 유해성이 큰 물질(만성중독이나 고농도에서 급성중독을 초래하는 유해물질)에 적용하는 기준이다.

▸ 최고허용한계농도(TLVs-C): 천정치, 최고노출기준치로 단 한 순간이라도 초과되지 않아야 하는 농도로 독작용이 빠른 물질이나 자극성 가스에 적용된다.

4. 직업성 질환

1) 분류

(1) 재해성 질병

산업 현장에서 발생한 재해에 의해 발병한 질환

(2) 직업병

업무에 기인하여 장기간에 걸쳐 폭로되는 유해작업 또는 유해물질의 작용으로 발생하는 질병

2) 물리적 환경과 직업성 질환

(1) 이상기압

대기압보다 높거나 낮은 압력환경에 노출되었다가 정상기압으로 복귀하는 과정에서 생기는 감압상태로 인한 건강장애

① 이상고압
- ▶ 수심 약 10 m에 1기압 증가, 잠수작업 때 발생, 잠함병
- ▶ 기압 상승과 함께 질소, 산소, 탄산가스 분압 상승으로 인체에 용해되어 들어오는 가스량 증가로나타나는 이상 증상

② 이상저압
- ▶ 지상으로부터 고도에 따른 대기압의 저하, 고산지대 작업 또는고지대 농업, 등산, 비행 등 발생
- ▶ 고산병, 항공병
- ▶ 저산소증, 이명, 두통, 난청, 호흡촉진, 수면장애, 흥분 등 발생
- ▶ 고지대에 거주하는 사람들에게 나타나는 만성고산병 증상으로 적혈구 과다증, 혈전색전증, 호흡곤란, 피로감 등이다.

TIP!

잠함병
1. 감압병, 잠수부병, 질소색전증
2. 고압 환경에서 작업 후 정상 기압으로 돌아오면서 혈관, 조직 내에 있던 질소가 급감압으로 기체로 유리되어 기포화되어 가스 색전 형성
3. 주증상: 피부소양감과 관절통, 뇌내 혈액순환 장애와 호흡기계 장애, 척추장애에 의한 신경마비, 내이와 미로의 장애
4. 예방: 단계적 감압, 산소 공급, 감암챔버 사용 등
5. 잠함병 유발 가능 직업: 잠수부, 해녀, 광부, 터널 공사 작업자 등
6. 고령, 비만, 순환기장애자 등에서 유발

TIP!

고산병: 사람이 갑자기 2,000~3,000 m 이상되는 고지대에 오르거나 고지대에서 격렬한 활동을 하는 경우 대기압이 낮아서 산소가 희박해지면서 겪
게 되는 두통, 복부 팽만, 피로 등의 증상

(2) 고온환경

① 고온 환경에 장시간 노출되었을 때 체온조절기능의 장애 현상으로 발생하며 열중증이라고 한다.

② 질병 종류: 열경련증, 열허탈증, 열사병(울열증), 열쇠약증, 열실신증 등

	원인	증상	치료
열경련증	고온에서 작업하는 업무에 종사하여 다량의 발한에 의해 체내 염분과 수분 손실로 발생	동공산대, 사지경련, 이명, 두통 등	서늘한 곳에 옮겨 0.1% 식염수를 마시게 하거나 생리식염수 1~2L 정맥주사 한다.
열허탈증 (열피로, 열실사)	고온 환경에 오랫동안 노출되어 말초혈액순환의 부전, 심박출량 부족으로 인한 순환기 이상	두통, 이명, 전신권태, 현기증, 의식상실 등	포도당, 생리식염 주사

열사병 (울열병, 일사병)	고온 환경에서의 심한 육체 노동으로 인해 체온조절의 부조화로 뇌의 온도 상승에 의한 중추신경의 체온조절중추 기능 장애	구토, 동공반응 손실, 체온 이상 상승, 현기증, 두통, 이명 등	두부 냉각, 생리식염 정맥주사 등
열쇠약증	고온 환경에서 작업시 비타민 B1의 결핍으로 발생되는 열 소모현상	빈혈, 위장장애, 전신권태 등	비타민 B1 투여

(3) 저온환경

① 영하 10℃ 이하의 저온 환경에서의 작업이나 저온 물체 취급 업무에서 발생하며 말초 빈혈, 국소 발적, 전신세포 기능 이상 등이 나타난다.

② 질병 종류: 동상, 참호족, 침수족, 동사, 동창 등

③ 예방: 방한구 착용, 고지방식 섭취 등

④ 참호족과 침수족: 장기간 지속적으로 한랭하고 습한곳에 노출되어 생기는 현상으로 부종, 모세혈관 손상, 작열감, 동통 등의 증상이 나타난다.

TIP!

동상

- 1도 동상(홍반성): 피부창백, 발적, 종창
- 2도 동상(수포성): 수포 동반한 삼출성 염증
- 3도 동상(괴사성): 국소 조직 괴사

(4) 소음

① 소음 강도 단위: dB(Decibel) / 항공기 소음 측정 단위: WECPNL(웨클) / 소음의 허용 기준: 8시간 기준 90 dB

② 가청주파수: 사람이 들을 수 있는 소리의 범위를 말하며 대략 20~20,000 Hz에 해당한다. 20 Hz 이하의 소리를 초저 주파음, 20,000 Hz 이상의 소리를 초음파라고 한다.

③ 난청상태: 일상생활의 음역범위(300~3,000 Hz)를 벗어난 상태(3,000~6,000 Hz)로 두통, 이명, 현기증, 불면증 등이 발생한다.

④ C5-dip 현상: 소음성 난청의 초기 단계로 4,000 Hz(난청의 조기발견 가능 주파수)에서 청력장애가 현저히 커지는 현상

⑤ 소음성 난청은 오랜 동안 소음에 노출되어 내이의 코르티(corti) 기관의 신경말단 손상으로 생기는 영구적 청력손실을 말한다. 불가역적 특성으로 소음 중단해도 청력이 회복되지 않는다. 소음성 난청의 진단은 린넨씨 검사에서 양성이다.

⑥ 소음은 레벨이 클수록, 저주파보다 고주파성분이 많을수록, 지속시간이 길수록 더 크게 영향을 받는다.

(5) 진동

① 전신진동: 교통기관의 승무원, 분쇄기공, 기중기 운전공 등에서 발생

② 국소진동: 주로 손에 나타나고 작업공구(연마기, 자동톱, 공기해머 등) 사용에 발생되며 한랭환경에서 레이노 현상 발생함

- 레이노 현상(Raynaud's Phenomenon): 진동 또는 외상, 교원병, 국소적 신경질환, 혈액질환 등의 원인으로 나타나며 손가락이 한랭환경에 노출되었을 때 발작성으로 창백하거나 청색을 일으키며 수지감각 마비가 나타나는 현상

(6) 중금속 중독

호흡이나 음식물의 섭취로 호흡기나 소화기로 흡수되어 생체 내 물질과 결합하여 배출되지 않고 인체에 축적되어 유발되는 질병 → 대표적 중금속: 납, 수은, 카드뮴, 크롬

① 납중독

- 발생 원인: 페인트, 납공장, 축전지, 정유소, 인쇄소, 납용접 등의 작업으로 발생
- 5대 중독증상: 빈혈, 염기성 과립적혈구 증가, 소변 중의 코프로 폴피린 검출, 치은염, 신근마비

② 수은중독

- 발생 원인: 오염된 해양에서 잡은 어패류를 섭취하거나 수은을 취급하는 작업장에서 일하는 경우로 수은광산, 도금, 인견제조, 사진공업, 형광등, 아말감제조, 온도계 등
- 3대 중독증상: 구내염, 근육진전, 정신증상
- 미나마타(Minamata)병: 일본 미나마타시에서 발생한 수은에 의한 공해병이다. 어패류에 축적되어 있는 메틸 수은이 원인으로 발생하며 보행장애, 언어장애, 팔다리 마비, 난청, 정신장애등의 증상 나타난다.

③ 카드뮴중독

- 발생 원인: 카드뮴과 그 화합물이 인체에 접촉 및 흡수되면서 발생
- 중독증상: 폐기종, 신장장애(단백요), 골격계 장애(골다공증, 골연화증, 뼈의 통증 등)
- 이타이이타이(Itai-Itai)병: 일본 도야마현의 진즈강에서 발생한 카드뮴에 의한 공해병이다. 금속정련공장의 폐수의 유출로 농작물과 음료수에 노출되어 장기간 섭취하여 체내에 들어와 간, 신장으로 확산되어 골연화증을 일으키는 중독증이다.

④ 크롬중독

인체에 유해한 +6가 크롬을 포함한 중크롬산으로 장기간 폭로시 비중격천공 발생

⑤ 망간중독

망간 광석 관련 작업장에서 발생하는 질병으로 지속적으로 흡입하면 언어장애, 정신착란, 불면증, 식욕감퇴, 경도의 신경장애를 나타나며 심하면 파킨슨 증후군을 유발하게 된다.

⑥ 비소중독

▶ 발생원인: 유리 · 도자기 제조, 용광로 · 배기관 보수작업, 살충제 · 방부제 · 농약 사용, 연 · 아연 · 철 · 동 등의 처리 작업으로 발생

▶ 3대 중독증상: 복통, 황달, 빈뇨

▶ 비소는 발암성이 가장 강한 중금속으로 피부암, 폐암, 간암, 백혈병 등을 유발하게 된다.

(7) 전리방사선

① 전리 작용을 가진 방사선의 총칭으로 전자기파 및 입자방사선.

X–선	• X선 발생장치에서 생성되는 빛롸 같은 전자파 • 전자파보다는 에너지가 훨씬 강하며 투과력도 강함 • X–선은 병원에서 치료목적으로 이용
감마선(γ)	• 방사성원자가 붕괴할 때에 방출 • 감마선은 X–선과 같이 투과력이 상당히 강함 • 우리 몸을 X–선보단도 더 쉽게 통과할 수 있어서, 암치료 등에 이용
알파 입자(α)	• 알파 입자는 핵에서 방출되는 입자로 자연적으로 존재하는 우라늄과 플루토늄과 같은 인공방사성 원소로부터 나옴 • 헬륨원자의 핵과 같이 두 개의 양자와 두 개의 중성자로 구성 • 알파선은 투과력이 아주 약하여, 종이 장으로 차단할 수 있음
베타 입자(β)	• 방사성원자의 원자핵으로부터 나오는 전자 • 알파 입자보다는 크기가 작지만 에너지가 많고 투과력이 알파 입자보다 강함 • 1~2 cm두께의 물을 투과할 수 있음 • 과도한 노출시 피부화상 • 얇은 알루미늄 판으로 차단할 수 있음
중성자	• 투과력이 상당히 강함 입자 • 멀리 우주의 외계로부터 날아오기도 하고, 공기 중에 있는 원자가 서로 부딪칠 때에 나오기도 함 • 원자로 안에서 우라늄 원자가 핵분열 할 때에 튀어나오기도 함 • 중성자 자체는 불안정하여 양자로 붕괴되면서 베타 입자를 방출 • 상대방 물질을 방사성 물질로 만들 수가 있음

② 방사선의 감수

순위	조직 및 장기
1	림프조직, 골수
2	난소, 고환
3	점막
4	타액선
5	모낭
6	피지선, 한선
7	피부
8	장막, 폐
9	신장
10	부신, 췌장, 간
11	갑상선
12	근조직
13	결합조직, 혈관
14	연골
15	골
16	신경세포
17	신경섬유

순위가 높을수록 방사선에 대한 방어가 취약하고 순위가 낮을수록 방사선에 대한 방어가 좋다. 다시 말해 순위가 높을수록 방사선 감수성이 높다고 할 수 있고 순위가 낮을수록 방사선 감수성이 낮게 나타난다.

③ 방사선의 민감도: 조혈기관, 생식기관, 임파선 〉 피부, 눈동자, 위 〉 뼈, 연골, 실핏줄 〉 신경조직, 지방조직, 근육, 혈관 등

④ 인체에 미치는 영향

▸ 확정적 영향: 방사선을 받을 때 누구에게나 나타나는 신체적 영향으로 백혈구 감소, 빈혈, 면역감소, 불임증, 태아에서의 피해, 피부 발적, 홍반, 탈모, 눈의 백내장, 수정체 혼탁 등의 증상이 나타날 수 있다.

▸ 확률적 영향: 방사선에 의하여 발생되었다고 생각되는 암이나 돌연변이 등의 유전적변화를 의미하며 백혈병, 피부암 등이 나타날 수 있다.

⑤ 관련 직종 및 예방: 방사선 촬영, 핵발전소에 근무하는 직원 등이 환경에 노출되어 있고, 예방대책으로는 차폐물 설치, 조사시간의 단축, 피부 노출 차단, 정기 건강진단 실시, 성인의 안전 허용기준 채택, 축적량 점검, 경고장치 설치 등이 있다.

▸ 예방관리 4대원칙

– 건강진단 실시

– 축적량 점검

– 경고장치 설치

– 응급처치요령 숙지

(8) 유해광선(비전리 방사선)

① 자외선

- ▶ 범위: 파장 2,000~4,000 Å
- ▶ 도노라선(건강선, 생명선): 2,800~3,200 Å
- ▶ 과다 노출 시 인체의 작용: 피부암, 백내장, 면역결핍증, 화상 등
- ▶ 예방: 전기용접공 보호안경이나 차광안경 착용, 신체 보호를 위한 차단제 크림, 모자, 마스크 등의 사용

② 가시광선

ⓐ 범위: 파장 4,000~7,000 Å

ⓑ 가시광선 장해

- ▶ 조명불량: 눈의 피로, 시력 감퇴, 정신적 불쾌감, 두통 등
- ▶ 조명과잉: 시야 협착, 시력 장애, 망막변성, 두통 등
- ▶ 조명부족: 안구진탕증(탄광부), 안정피로(40세 이상)
- ▶ 안구진탕증: 탄광부 작업시 조명부족 및 산소결핍과 메탄, CO, CO_2 흡입으로 안구운동중추 장애
- ▶ 안정피로: 40세 이상 발생하는 눈의 피로, 두통, 자극증세 등

③ 적외선(열선)

- ▶ 범위: 파장 7,800~30,000 Å
- ▶ 적외선 장애: 적외선 백내장(초자공 백내장), 각막손상, 망막화상 등

(9) 분진

① 분진은 분쇄, 연마, 천공, 가열파쇄 등에 의해 발생하는 미세한 고체 입자로 호흡기를 통해 체내에 들어와 진폐증을 유발

② 진폐증: 분진을 오래 흡입하여 발생되는 폐포의 병적 변화를 가져오는 질병

- ▶ 규폐증: 대표적인 진폐증으로 유리규산의 분진 흡입으로 폐에 만성 섬유증식을 일으기는 질환으로 3대 직업병(납중독, 벤젠중독, 규폐증) 중 하나이다. 탄광, 채광, 도자기 공장, 금속 제련소, 유리 공장 등에서 작업하는 근로자에게 주로 발생
- ▶ 석면폐증: 내화 직물, 절연체, 소화용제 등에 쓰이는 석면을 취급하는 근로자에게 발생하는 질환으로 발암물질이 포함되어 폐암 유발
- ▶ 석면: 백석면, 청석면, 갈석면, 트레모라이트, 안토필라이트, 악티놀라이트, 안소필라이트의 6종류로 구분되며, 1급 발암 물질로 '죽음의 물질'로 알려져 있다. 유해성은 청석면 〉 갈석면 〉 백석면 순으로 유해

▶ 탄폐증: 탄가루, 규토, 규산분진 등을 취급하는 근로자에게 발생하는 질환
▶ 면폐증: 면, 곡물, 목재, 아마 등을 취급하는 근로자에게 발생하는 질환

(10) VDT 증후군(Visual display terminal syndrome)

① VDT는 영상표시단말기로 대표적인 것이 컴퓨터이며 사무자동화로 인해 생기는 질환을 VDT 증후군이라고 부른다.
② 증상: 안정피로(시력감퇴, 복시, 안통, 두통 등), 정신신경장애(불안, 초조, 두통, 피로감 등), 경견완증후군(뒷머리, 목, 어깨, 팔, 손가락 등의 장애, 허리 등의 통증 등), 소화불량, 피부장애, 혈압상승 등
③ 대책: 매년 1회 건강진단 실시, 1회 연속작업은 1시간 이내, 화면은 무광택, 키보드 조명은 300~500 lux, 적절한 작업자세 교육 등

(11) 유기용제

① 다른 물질을 용해시키는 특징을 갖는 액체상태의 유기화합물과 이황화탄소
② 유기용제 중독증상: 알코올, 에스테르, 알데히드, 염화탄화수소계, 탄화수소계, 케톤, 에테르계 물질 등의 환경에 노출되었을 경우 발생하는 것으로 기본적으로 중추신경계 억제증상이 나타나며 만성적일 경우 소화기계 장애, 조혈기능장애, 간과 신장기능장애 등이 발생
③ 특이증상

벤젠	조혈장애, 백혈병
염화탄화수소	간장애
노말헥산 및 메틸부틸케톤(MBK)	말초신경장애
이황화탄소	중추신경장애
메타놀 및 초산메틸	시신경장애
에틸렌글리콜에테르	생식기장애

5. 건강진단

1) 일반 건강진단

① 일반 건강검진 항목
- ▶ 흉부 X선 촬영(간접촬영)
- ▶ 신체계측
- ▶ 혈압, 혈당, 소변검사
- ▶ 빈혈검사
- ▶ 시진, 촉진, 문진, 청진
- ▶ 혈액검사

② 실시 시기
- ▶ 사무직 종사 근로자: 2년에 1회 이상
- ▶ 그 외의 근로자: 1년에 1회 이상

③ 모든 근로자에게 실시하는 건강진단으로 비용은 사업주가 부담

④ 1차 건강진단(이상자 색출검사): 모든 근로자를 대상으로 실시
2차 건강진단(정밀검사): 1차에서 발견된 건강 이상자에 대하여 실시

⑤ 근무중인 근로자의 질병의 조기발견 및 업무적합성 평가 위해 실시

2) 특수 건강진단

① 대상: 유해한 작업환경에 노출된 근로자를 대상으로 실시

② 사업주가 부담

③ 유해한 작업환경에 종사하는 근로자의 직업성 질환의 조기발견 및 업무적합성 평가 위해 실시

3) 배치 전 건강진단, 수시 건강진단, 임시 건강진단

구분	일반건강검진	배치 전 건강검진	특수 건강검진	수시건강진단	임시 건강진단
검진 시기	사무직 : 2년 생산직 : 1년	신규 배치 전	주기적	작업관련증상을 호소하는 경우	지방노동관서의 장이 명령하는 경우
검진 대상자	상시근로자	유해부서에 배치되는 자	유해부서 근로자	작업관련 증상 호소자	당해 근로자 또는 동 일부서 근로자

검진 목적	모든 질환의 조기 진단	· 적성배치 · 기초 건강 자료 축적	직업병 조기 진단	집단 직업병 발생 예방
비용 부담	사업주 (국민건강보험)	사업주		

4) 건강진단 결과

일반 건강진단		배치 전 건강진단, 특수 건강진단 수시 건강진단, 임시 건강진단	
구분	의미	구분	의미
A	건강관리상 의학적, 직업적 사후관리 조치 불필요(정상자)	A	건강관리상 의학적, 직업적 사후관리 조치 불필요(정상자)
B	경미한 이상소견이 있으나 의학적, 직업적 사후관리 조치 불필요(정상자)		
C	직업병 예방을 위하여 적절한 의학적, 직업적 사후관리 조치 필요 (직업병 요관찰자)	C_1	건강관리상 적절한 의학적, 직업적 사후관리 조치 필요(직업병 요관찰자)
		C_2	일반질병 예방을 위하여 적절한 의학적, 직업적 사후관리 조치 필요 (일반질병 요관찰자)
D_1	직업병의 소견이 있어 적절한 의학적, 직업적 사후관리 조치 필요 (직업병 유소견자)	D_1	직업병의 소견이 있어 적절한 의학적, 직업적 사후관리 조치 필요 (직업병 유소견자)
D_2	일반질병의 소견이 있어 적절한 의학적, 직업적 사후관리 조치 필요 (일반질병 유소견자)	D_2	일반질병의 소견이 있어 적절한 의학적 및 직업적 사후관리 조치 필요 (일반질병 유소견자)
R	1차 건강진단 실시 결과에서 이상 소견이 있어 2차 건강진단 실시 필요 (질환의심자)		특수건강진단 실시 도중 퇴직 등의 사유로 건강진단을 종료하지 못해 건강관리구분을 판정하지 못한 경우에는 'U'로 판정

6. 산업재해

1) 산업재해의 개념

(1) 산업재해

근로자가 업무에 관계되는 건설물, 설비, 원재료, 가스, 증기, 분진 등에 의하거나 작업 또는 기타 업무에 기인하여 사망 또는 부상하거나 질병에 걸리는 것(산업안전보건법)

(2) 산업재해보상보험제도

① 산업재해에 대한 법적인 사회보장제도

② 업무상 재해범위: 근로자의 부상, 질병, 신체 장해, 사망

③ 보험급여 종류: 요양급여, 휴업급여, 장해급여, 간병급여, 유족급여, 상병보상연금, 장의비, 직업재활급여

2) 산업재해 방지대책

① 하인리히(Heinrich) 법칙 = 현성 재해(휴업 재해, 중상해): 불현성 재해(불휴업 재해, 경상해): 잠재성 재해(무상해 재해) = 1 : 29 : 300

② 큰 사고의 이면에는 중간 사고와 사소한 작은 사고가 더 많이 발생하고 있다고 하는 법칙으로 큰 사고의 대책만이 아니라 부각되지 않는 중간 사고와 작은 사고에 대해 관심을 가져야 산업재해의 근본적 해결을 도모할 수 있다.

TIP!

보상 및 배상을 받기 위해서는 업무상 재해로 인정받아야 한다.

③ 하인리히(Heinrich)의 사고예방 기본윤리 5단계

1단계: 안전관리 조직

2단계: 사실의 발견

3단계: 평가분석

4단계: 시정방법의 선정

5단계: 시정방법의 적용

④ 하인리히(Heinrich)의 산업재해 발생 5단계

1단계: 유전적 요인, 환경 요인

2단계: 무지, 미숙으로 인한 개인적 결함

3단계: 불안정한 상태

4단계: 사고발생

5단계: 재해

3) 산업재해 통계지표

① 도수율: 위험에 노출된 시간당 재해가 얼마나 발생했는가를 확인

$$= \frac{\text{재해건수}}{\text{연 근로시간 수}} \times 1{,}000{,}000 = \frac{\text{재해건수}}{\text{연 근로일수}} \times 1{,}000$$

→ 재해 발생 파악을 위한 표준적 지표

② 강도율: 재해에 의한 손상 정도

$$= \frac{\text{재해건수}}{\text{연 근로시간 수}} \times 1{,}000{,}000$$

③ 건수율(발생률): 노동자 수에 대한 재해 발생의 빈도

$$= \frac{\text{재해건수}}{\text{근로자 수}} \times 1{,}000$$

④ 평균손실일수율(중독률): 재해건수당 평균작업 손실 정도

$$= \frac{\text{근로손실일수}}{\text{재해건수}} \times 1{,}000$$

⑤ 재해일수율

$$= \frac{\text{연 재해일수}}{\text{연 근로시간 수}} \times 100$$

인구보건

1. 인구학의 이해

1) 인구의 개념

인구는 일정한 기간에 일정한 지역에 거주하는 인간의 집단으로 시간 및 공간 공동체적 의미를 갖는다.

2) 인구이론의 발전

(1) 인구학의 시작

① 인구학 용어 최초 사용: Guillard-인구학은 '인류의 자연적, 사회적인 역사'이다.(프랑스 수학자, 1855)

② 실질적인 인구학의 시작: 영국의 John Graunt(그랜트)가 『사망표에 관한 자연적 및 정치적 제 관찰』을 출간한 이후(1662년)

③ 인구론 발전순서:
맬더스주의 → 신맬더스주의 → 적정인구론
→ 안정인구론 → 정지인구론

TIP!

John Graunt(그랜트): 근대적 인구학의 시조, 근대 통계학 발전 (인구의 출생과 사망에 대한 수량적 분석)에 기여

(2) 맬더스주의(Malthusianism)

① 영국의 Thomas Robert Malthus(맬더스): 실질적인 인구론의 아버지

② 맬더스의 논문『인구론』출간(1798년)

③ 식량과 인구와의 관계에 관한 맬더스 인구이론

④ 맬더스 인구론에서는 인구는 기하급수적으로 증가하고 식량은 산술급수적으로 증가하여 식량을 기준으로 인구과잉 문제를 지적

▶ 그 해결책으로 도덕적 억제(만혼, 금욕생활), 순결을 통해 인구증가를 방지해야 한다고 제안(피임은 반대)

▶ 적극적 억제로는 조기사망, 빈곤, 전쟁 등에 의한 억제

Check Point.

맬더스 인구이론의 3원리

1. 규제 원리: 인구는 생존자료인 식량에 의해서 제한된다.
2. 증식 원리: 인구는 다른 특별한 방해요인이 없는 한 생존자료가 증가하면 인구도 증가한다.
3. 파동 원리: 인구는 증식과 규제의 상호작용에 의하여 균형에서 불균형으로, 다시 불균형에서 균형의 회복으로 지속적인 파동을 주기적으로 되풀이한다.

(3) 신 맬더스주의(Neo-Malthusianism)

① 맬더스주의에서 도덕적 억제(만혼, 금욕생활)를 피임으로 대신하여 인구 증가를 방지하자는 신 맬더스주의
→ 맬더스주의 중 인구 규제 방법만 달리한 것(근본적으로는 맬서스 이론을 따르지만 인구 억제수단으로서의 도덕적 억제에 대하여 견해를 달리한다)

② Francis Place(영국의 플레이스), J. S. Mill 주장

③ 금욕생활의 부자유스러움을 지적하고 인위적인 피임에 의한 산아제한으로 인구증가를 억제하려는 것이 신 맬더스주의 특징이다.
→ 일반 사람에게 성욕의 억제는 한계가 있고, 만혼은 사회 범죄 및 사회악 발생시킨다는 점에서 만혼 반대

④ 근대 문명국가의 출산율 감소에 영향을 미쳤다.

(4) 적정인구론

① 맬더스 주의에서 과잉의 기준을 식량에 두었다면 적정인구론에서 과잉의 기준을 일정한 사회, 경제 환경에서 그 균형이나 규모의 측면에서 가장 인간다운 생활수준에 두었다.

② E. Cannan(영국) 주장

③ 적정인구: 주어진 조건 하에서 최고의 생활 수준을 실현할 수 있을 때의 인구, 즉 1인당 실직소득을 극대로 하는 인구이다.

(5) 인구 이론상의 개념(이론적 인구)

① 봉쇄인구(폐쇄인구): 인구이동이 전혀 일어나지 않는 인구로서 다만 자연증가요인인 출생과 사망에 의해서만 변동하는 인구

② 안정인구: 봉쇄인구에 있어서 남녀의 연령별 사망률과 출생률이 일정하다고 가정하면, 이러한 인구의 조출생률과 조사망률이 정해지므로 인구의 자연증가율이 일정하다. 봉쇄인구의 특수한 경우를 안정인구라고 한다.

③ 준안정인구: 남녀의 연령별 출생률과 사망률이 일정한 봉쇄인구를 안정인구라고 하는데, 연령별 출생인구만 일정한 경우를 준안정인구라고 한다.

④ 정지인구: 안정인구에 있어서 출생과 사망이 동일하며, 따라서 자연증가가 전혀 일어나지 않는다고 가정한 이념인구를 말한다

3) 인구전환이론

(1) Notestein과 Thompson의 인구전환이론 3단계 분류

① 1단계: 고잠재적 성장단계, 다산다사기, 후진국, 높은 영아사망률

② 2단계: 과도기적 성장단계, 다산소사기(높은 출생률, 낮은 사망률, 환경위생의 향상, 의학 발달, 경제발전, 생활수준 향상 등), 인구폭발, 개도국

③ 3단계: 인구감소 시작단계, 소산소사기, 정지인구, 선진국

(2) C. P. Blacker(블랙커)의 인구성장 5단계 분류

① 1단계: 고위정지기, 다산다사, 고출생률과 고사망률의 인구정지형, 후진국(중부아프리카)

② 2단계: 초기확장기, 다산감사, 저사망률과 고출생률의 인구증가형, 경제개발초기 국가(북아프리카, 아시아)

③ 3단계: 후기확장기, 감산소사, 저사망률과 저출생률의 인구성장 둔화형, 소가족 중심으로 전환되는 국가(중앙 아메리카, 한국, 남아프리카)(한국은 3단계에서 4단계로 진행되는 과정 중에 있다)

④ 4단계: 저위정지기, 사망률과 출생률이 최저, 인구성장 정지형, 사회의 안정화 및 성숙화 단계의 국가(이탈리아, 구소련, 중동)

⑤ 5단계: 감퇴기, 사망률이 출생률보다 높은 인구 감소형 국가(일본, 뉴질랜드, 북유럽, 북아메리카 등)

2. 인구학의 주요 내용

1) 출산력

① 살아서 태어난 아이의 실제 수로 재생산 활동을 의미

② 인구의 구조 변화를 연구할 때 인구학에서 매우 중요(특히 사망률이 없는 사회에서 출산력은 인구 증가의 핵심)

③ 출산력 측정하는 지표: 보통출생률, 합계출산율, 순재생산율, 총재생산율 등

2) 사망력

① 생명의 종식현상으로 생존인구의 전 연령층에서 발생

② 인구통계의 가장 중요한 분야 중 하나

③ 사망력 측정하는 지표: 보통사망률, 영아사망률, 사인별 사망률 등

3) 생명표

(1) 생명표

현재의 사망 수준이 그대로 지속된다는 가정하에 어떤 출생 집단의 연령이 높아짐에 따라 연령별로 몇 세까지 살 수 있는지 정리한 표이다.

(2) 이용범위

보건의료 정책수립, 국가간 사회 · 경제 · 보건수준의 비교자료, 보험료율 및 퇴직보험금 비율산정, 인명피해관련 보상비 등의 기초자료로 광범위하게 이용된다.

(3) 생명함수

생존수, 사망수, 생존율, 사망률, 사력, 평균여명

4) 인구통계

(1) 인구정태

인구 관찰 시 정지된 상태의 일정 시점에서 인구의 구성 상태를 살펴보는 방법으로 인구 크기, 연령별, 성별, 연령별, 가족관계별, 국적별, 산업별, 직업별 등으로 나타내는 통계로 국세조사 , 연말 인구조사, 가족관계등록부, 인구주택총조사, 주민등록부, 호적부 등이 있다.

(2) 인구동태

인구의 구성이 어떻게 변화하는지 일정기간을 두고 살펴보는 방법으로 출생률, 사망률, 결혼율, 이혼율, 전입, 전출 등이 있다.

(3) 인구증가

① 인구증가: 자연증가 + 사회증가

② 자연증가: 출생건수 − 사망건수

③ 사회증가: 전입인구(유입인구) − 전출인구(유출인구)

④ 인구증가율

$$= \frac{\text{자연증가인구} + \text{사회증가인구}}{\text{연앙인구}} \times 1{,}000$$

TIP!

국세조사

1. 한 국가의 일정지역의 인구상태(인구구조, 가족구성 등)를 파악하기 위하여 특정시기에 동시적으로 실시하는 전 인구를 대상으로 하는 조사
2. 최초의 국세조사: 1749년 스웨덴
3. 근대적 의미 국세조사: 1790년 미국
4. 우리나라 국세조사: 1925년 처음시행(간이총조사), 현재 5년에 한번씩 실시(인구주택총조사)

TIP!

연간인구증가율

$$= \frac{\text{연말인구} - \text{연초인구}}{\text{연초인구}} \times 100$$

5) 인구구조

(1) 성별구조

① 성비: 여자 100명에 대한 남자의 수로 표시되며 남성성비라고 한다.

$$= \frac{\text{남자수}}{\text{여자수}} \times 100$$

② 성비의 구분

- 1차 성비: 태아의 성비
- 2차 성비: 출생시 성비
- 3차 성비: 현재 인구의 성비

(2) 연령별 인구 구성

① 1세 미만: 영아인구
② 14세 이하: 소년인구
③ 15~64세: 생산연령인구
④ 65세 이후: 노년인구

(3) 부양비, 노령화 지수

인구의 사회, 경제적 측면을 파악하는데 도움
① 부양비: 경제활동 가능한 생산연령인구에 대한 비경제활동연령 인구의 비를 의미
② 부양비의 종류

- 총부양비

$$= \frac{\text{0~14세 인구+65세 이상 인구}}{\text{15~64세 인구}} \times 100$$

- 노년부양비

$$= \frac{\text{65세 이상 인구}}{\text{15~64세 인구}} \times 100$$

- 유년부양비

$$= \frac{\text{15세 미만 인구(0~14세 인구)}}{\text{15~64세 인구}} \times 100$$

③ 부양비 특징

- ▶ 총부양비가 높을수록 후진국이다. 선진국보다 개발도상국에서 총부양비가 높게 나타난다.
- ▶ 노년부양비는 선진국이 높고, 유년부양비는 개발도상국이 높다.
- ▶ 우리나라에서 총부양비는 농촌이 도시보다 높다.
- ▶ 인구의 구조는 모든 사회에서 낮은 연령층이 상대적으로 많이 때문에 총부양비는 대체로 유년부양비에 의해 결정된다.

④ 노령화 지수: 인구의 노령화 정도를 나타내는 지표로 유년인구(0~14세)에 대한 노년인구(65세 이상)의 비율

- ▶ 노령화지수

$$= \frac{\text{65세 이상 인구(노년인구)}}{\text{0∼14세 인구(유년인구)}} \times 100$$

(4) 인구구조의 유형

피라미드형	종형 (벨형, 아형)	항아리형 (방추형)	별형	기타형
다산다사형	소산소사형	출생률 〈 사망률	도시형, 유입형	농촌형, 유출형
인구 증가형	인구정지형	인구감소형	성형, 스타형	호로형, 표주박형
발전형	선진국형	일부 선진국형	생산연령인구 유입 많아 도시지역 인구구조	생산연령인구가 도시로 이동하는 농촌지역 인구구조
개발도상국형	노인비중 높아 노인문제 발생	유소년층 비율이 낮아 국가경쟁력 약화의 우려	15~49세 인구가 전체인구의 50%를 넘는다.	15~49세 인구가 전체인구의 50% 미만이다.
0~14세의 인구가 65세 이상의 인구의 2배가 넘는다.	0~14세의 인구가 65세 이상의 인구의 2배이다.	0~14세의 인구가 65세 이상의 인구의 2배에 도달하지 못한다.	청장년층의 유입으로 출산력 상승에 의한 유년층 비율이 높다.	청장년층의 유출로 출산력 저하에 의한 유년층 비율이 낮다.

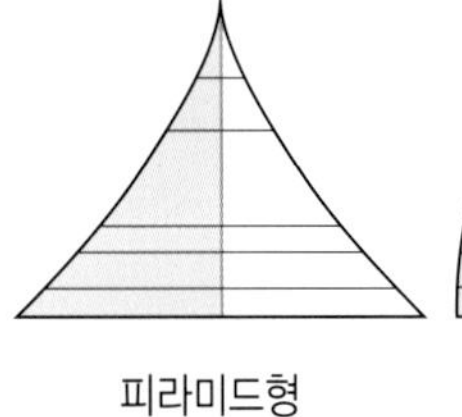
피라미드형

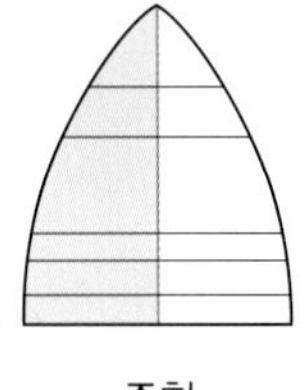
종형

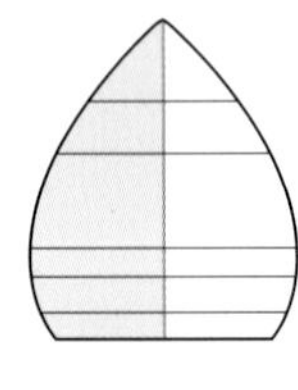
항아리형

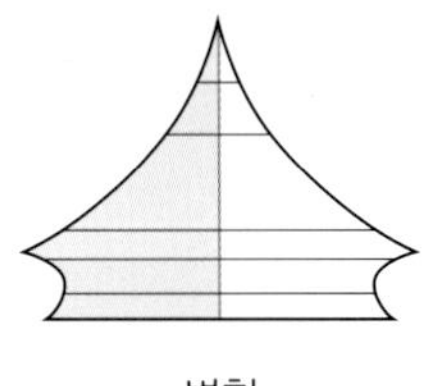
별형

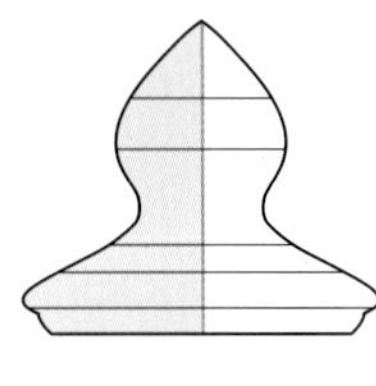
기타형

3. 가족계획

1) 가족계획의 의미

인구문제 해결을 위해 자녀의 수, 출산 시기, 출산 간격 등을 계획적으로 조절하는 것으로 산아제한과는 별개의 개념으로 계획된 출산을 통해 인구와 자원, 생산성 간의 균형을 유지하고 행복한 가정을 이루기 위함이다.

2) 가족계획의 내용

(1) 결혼연령

① 결혼 연령의 증가는 저출산의 원인 요소

② 결혼은 상호 연령 차이가 크지 않아야 하고, 만혼은 피하는 것이 좋다.

(2) 초산연령

① 초산과 단산은 빠를수록 좋다. 초산은 25세 이전, 단산은 35세 이전이 좋다.

② 초산이 빠를수록 좋은 이유: 난산 및 기형아 분만 최소화, 불임증의 조기발견 및 조기치료, 단산시기 조기 달성, 자녀수의 터울 조정 용이, 모성 사망 빈도 저하 등

(3) 출산간격

2명 이상의 자녀를 낳을 때 2~3년 간격이 이상적이고 터울이 5년 이상으로 길어지면 정서 및 성격형성, 형제간 애정문제 등 생길 수 있다.

(4) 출산횟수

부모의 경제능력, 양육능력, 가정환경, 건강문제 등에 따라 결정

3) 가족계획의 방법

(1) 피임법

일시적 방법(수태조절법), 영구적 피임법(불임시술법)

① 일시적 방법: 콘돔, 페미돔, 자궁 내 장치(IUD), 월경주기법, 경구용 피임, 질외사정, 발포성 정제(정자 살충), 다이어프램(Diaphragm) 등

② 영구적 방법: 정관수술, 난관수술

(2) 이상적인 피임법

① 효과가 정확해야 한다.
② 몸에 해롭지 않은 안정성이 있어야 한다.
③ 임신을 원할 때 언제라도 가능해야 한다.
④ 사용하기 편리하며 경제적이어야 한다.
⑤ 성생활에 지장이 없어야 한다.

(3) 피임 원리

정자 질 내 침입 방지, 배란 억제, 월경주기를 이용한 생리적 원리, 수정 방지, 자궁착상 방지 등

(4) 피임의 방법

① 물리적 방법: 성교 중절법, 자궁 내 장치, 콘돔, 다이어프램, 질세척 등
② 기구 사용 방법: 콘돔, 페미돔 등
③ 약품 사용 방법: 경구용 피임약, 살정제 방법 등
④ 수술 방법: 정관수술, 난관수술

모자보건 제20장

1. 모자보건의 이해

1) 모자보건

모든 임산부와 수유부의 건강을 잘 유지하고 육아기술을 획득하게 하여 안전하게 아기를 출산하고 건강하게 자녀를 키우도록 책임지고 관리하는 것(세계보건기구(WHO) 모자보건위원회)

2) 모자보건사업

모성과 영유아에게 전문적인 보건의료서비스 및 그 와 관련된 정보를 제공하고, 모성의 생식건강 관리와 임신, 출산, 양육 지원을 통하여 이들이 신체적, 정신적, 사회적으로 건강을 유지하게 하는 사업(모자보건법)

3) 모자보건사업 대상

(1) 영유아

① 출생 후 6년 미만인 사람(모자보건법)
② 광의: 출생에서부터 사춘기에 이르는 남녀
③ 협의: 출생 후부터 미취학 아동까지의 남녀

(2) 모성

① 임산부와 가임기 여성(모자보건법)
② 광의: 초경에서부터 폐경에 이르는 모든 여성
③ 협의: 임신, 분만, 산욕기, 수유기의 여성

(3) 모자보건의 중요성

① 모성 건강은 태아와 영아, 유아의 건강이기도 하고 모자보건의 대상 인구가 전체 국민의 약 60%를 차지하는 만큼 더 나아가 국민 건강이라고도 할 수 있어서 국민건강 육성의 기초라고 할 수 있다.
② 비용-효과 면에서 효율적이어서 예방사업과 산전관리로 영구적이며 확실한 효과를 얻을 수 있다.
③ 다음 세대의 보건(인구 자질)에 영향을 미친다.
④ 다른 연령층에 비하여 건강상 취약계층이다.

4) 모자보건법 목적

(1) 모자보건법의 목적

이 법은 모성 및 영유아의 생명과 건강을 보호하고 건전한 자녀의 출산과 양육을 도모함으로써 국민보건 향상에 이바지함을 목적으로 한다.

(2) 모자보건법 용어

① "임산부"란 임신 중이거나 분만 후 6개월 미만인 여성을 말한다.
② "모성"이란 임산부와 가임기 여성을 말한다.
③ "영유아"란 출생 후 6년 미만인 사람을 말한다.
④ "신생아"란 출생 후 28일 이내의 영유아를 말한다.
⑤ "미숙아"란 신체의 발육이 미숙한 채로 출생한 영유아로서 대통령령으로 정하는 기준에 해당하는 영유아를 말한다.
⑥ "선천성이상아"란 선천성 기형 또는 변형이 있거나 염색체에 이상이 있는 영유아로서 대통령령으로 정하는 기준에 해당하는 영유아를 말한다.
⑦ "인공임신중절수술"이란 태아가 모체 밖에서는 생명을 유지할 수 없는 시기에 태아와 그 부속물을 인공적으로 모체 밖으로 배출시키는 수술을 말한다.
⑧ "모자보건사업"이란 모성과 영유아에게 전문적인 보건의료서비스 및 그와 관련된 정보를 제공하고, 모성의 생식건강 관리와 임신 · 출산 · 양육 지원을 통하여 이들이 신체적 · 정신적 · 사회적으로 건강을 유지하게 하는 사업을 말한다.
⑨ "가족계획사업"이란 가족의 건강과 가정복지의 증진을 위하여 수태조절에 관한 전문적인 의료봉사 · 계몽 또는 교육을 하는 사업을 말한다.
⑩ "모자보건요원"이란 의사 · 조산사 · 간호사의 면허를 받은 사람 또는 간호조무사의 자격을 인정 받은 사람으로서 모자보건사업 및 가족계획사업에 종사하는 사람을 말한다.
⑪ "산후조리업"이란 산후조리 및 요양 등에 필요한 인력과 시설을 갖춘 곳(이하 "산후조리원"이라 한다)에서 분만 직후의 임산부나 출생 직후의 영유아에게 급식 · 요양과 그 밖에 일상생활에 필요한 편의를 제공하는 업을 말한다.

2. 모성 보건관리

1) 산전관리

(1) 산전관리의 목표

임신과 분만을 전후한 시기에 임산부와 태아의 상태를 관찰 및 교육하고 모든 의학적 관리를 통하여 임신과 관련하여 생길 수 있는 이상이나 임신에 영향을 줄 수 있는 이상이 있는지 정기적으로 진단하고 보건교육을 실시함으로 임산부 스스로 건강관리를 잘 할 수 있도록 하여 최상의 상태에서 건강한 아이를 분만하는데 목적을 둔다.

(2) 산전관리 내용

① 임산부 등록 관리: 모자보건수첩 발급하여 분만 전까지 산전관리 실시

② 정기건강진단(모자보건법 시행규칙) 실시

임산부	
임신 28주까지	4주마다 1회
임신 29주에서 36주까지	2주마다 1회
임신 37주 이후	1주마다 1회

③ 고위험 임산부 특별관리

고위험 임산부

- ▸ 유전적 소인이 있는 임산부
- ▸ 20세 미만과 35세 이상의 임산부
- ▸ 저소득층 임산부
- ▸ 다산경험이 있는 임산부
- ▸ 산과적 합병증이 있는 임산부
- ▸ 빈혈, 고혈압, 비만, 영양실조 등의 질병이 있는 임산부
- ▸ 미혼 임산부나 정서적 불안정한 임산부부
- ▸ 직장을 가진 임산부

④ 운동 및 영양관리 교육: 임신 섭생지도, 위험증후군에 대한 지도, 출산준비와 가족계획 및 육아법에 대한 지도 등

⑤ 엽산제 및 철분제 지원

2) 분만 및 산욕기 관리

(1) 분만

자궁 내에 있던 태아와 그 부속물들이 모체 밖으로 배출되는 현상

(2) 산욕기 관리

TIP!

성생활 금지기간

임신 초 6주, 임신 8개월 이후, 산욕 기간

① 산욕기: 임신 및 분만에서 생긴 모체의 해부학적, 기능적 변화들이 회복되는 기간으로 분만 후 6~8주까지의 기간이다.

② 산욕기에는 세균의 침입이나 출혈로 치사율이 높은 병에 감수성이 높으므로 항상 주의해야 한다.

(3) 모유수유

① 초유: 분만 후 4~5일까지의 젖을 의미하며 농도가 짙고 노란색을 띈다. 초유의 단백질에는 면역력을 높이는 글로불린 함량이 많고 비타민 A와 철분 등이 많이 포함되어 있어 반드시 먹이도록 권장한다.

② 모유수유의 장점

- 혈중 옥시토신의 분비로 자궁수축이 촉진되며 출산 후 회복이 빨라진다.
- 아이가 안정감을 느끼고 어머니와 연대감이 강해진다.
- 시간과 비용면에서 경제적이다.
- 호흡기 질환, 알레르기 질환, 위장관 질환, 요로감염 등이 잘 걸리지 않고 항체를 지니고 있어서 향후 6개월 이내의 질병에 면역력을 갖는다.
- 유방암의 발생빈도가 낮다.
- 배란을 억제하여 피임 효과가 있다.
- 모유는 완전 무균상태이고 소화에 용이하다.

3) 모성사망

(1) 모성사망

임산부의 임신, 분만, 산욕 과정에서 생긴 질병이나 합병증 때문에 발생하는 산모 사망

(2) 모성사망지표

① 모성사망비

$$= \frac{\text{연간 임신, 분만, 산욕기로 인한 모성사망 수}}{\text{연간 출생아 수}} \times 100{,}000$$

② 모성사망률

$$= \frac{\text{연간 모성사망 수}}{\text{연간 가임기여성 수}} \times 100{,}000$$

③ 임산부의 산전, 산후관리, 지역사회 의료전달체계, 사회경제적 수준 등 전반적인 보건수준 파악할 수 있는 지표

(3) 모자보건지표

모자보건사업의 수행 경과를 평가할 수 있는 지표로써 영아사망률, 모성사망률, 주산기사망률이 있으며, 특히 WHO가 국가의 경제수준과 기초 보건수준을 파악하기 위해 기준으로 적용하는 모자보건지표는 영아사망률과 모성사망률이다.

TIP!

모자보건 주요지표

▸ 조출생률, 보통출생률

$$= \frac{\text{1년간 총 출생아 수}}{\text{당해연도 인구}} \times 1{,}000$$

→ 가족계획사업 효과 판정으로 가장 좋은 지표

▸ 일반출산률

$$= \frac{\text{1년간 총 출생아 수}}{\text{당해연도 가임연령인구}} \times 1{,}000$$

▸ α-index

$$= \frac{\text{영아 사망 수}}{\text{신생아 사망 수}} \times 1{,}000$$

→ 1.0에 가까울수록 선진국형

▸ 재생산율

1. 합계출산율: 한 여성이 평생 동안 평균 몇 명의 자녀를 출산하는가를 나타냄
2. 재생산율: 한 여성이 평생 동안 평균 몇 명의 여자아이를 출산하는가를 나타냄.
   - 총재생산율: 한 여성이 평생 동안 여아를 총 몇명 출산하는가를 나타냄 (어머니의 사망률 고려하지 않음)
   - 순재생산율: 일생 동안 출산한 여아의 수 가운데 출산가능 연령에 도달한 생존여자의 수 만을 나타낸 것으로 가임기간 동안 일생에 여아를 몇명 출산하였는가를 나타냄 (어머니의 사망률 고려)

     1 이상: 다음세대 인구의 증가

     1 이하: 다음세대 인구의 감소

영아사망률	$= \dfrac{\text{연간 영아사망 수}}{\text{연간 출생아 수}} \times 1{,}000$
주산기사망률	$= \dfrac{\text{연간 임신 만28주 이후 사산 수+생후 1주 미만 사망 수}}{\text{연간 출산아 수}} \times 1{,}000$
모성사망률	$= \dfrac{\text{연간 모성사망 수}}{\text{연간 가임기여성 수}} \times 100{,}000$

(4) 주요원인

① 임신중독증

▸ 비정상적인 태반 형성으로 인한 내막세포의 기능부전이 그 원인으로 혈류공급이 제한되어 임신 중에 형성된 독소가 배출되지 않고 역류되어 나타나는 중독증세

▸ 임신중독증 3대 증상: 고혈압, 단백뇨, 부종

→ 임신중독증은 임신 중 혈압 상승과 더불어 소변에서 단백이 검출되는 질환을 의미하며 고혈압과 소변의 단백뇨 검출이 확인될 때 전자간증(자가전증)이라고 한다.

▸ 임신중독증은 임신 8개월 이후에 다발하며 보통 임신 20~24주경에 나타나는 임신합병증이다. 원인이 명확히 밝혀지지 않았다.

▸ 임산부 사망의 최대 원인이 된다.

② 자궁외임신: 자궁 내에 점막 조직 이외의 부위에 성립되는 임신으로 주로 95%가 난관에서 발생, 난소나 복강 내에 임신되는 경우도 있다.

③ 산욕열: 출산 또는 유산 후 6~8주 이내 여성 생식기관의 세균감염으로 처음 10일 동안 38℃ 이상의 고열이 발생하는 증상

3. 영유아 보건관리

1) 정기건강진단

신생아	수시
출생 후 1년이내	1개월마다 1회
출생 후 1년~5년 이내	6개월마다 1회

2) 영유아 구분

① 초생아: 출생 후 1주일 이내의 영유아
② 신생아: 출생 후 28일 미만의 영유아
③ 영아: 출생 후 1세 미만의 영유아
④ 유아: 만 1세 이상 출생 후 6세 미만의 어린이
⑤ 영유아: 출생 후 6년 미만의 사람

3) 건강문제

(1) 발육이상

① 조산아 (미숙아): 37주 미만으로 태어나거나 체중 2.5kg 미만인 자로서 보건소장 또는 의료기관의 장이 임신 37주 이상의 출생아 등과는 다른 특별한 의료적 관리와 보호가 필요하다고 인정하는 자
② 과숙아: 42주 이후로 태어나거나 체중 4.5kg 이상인 경우로 자궁에 머무른 기간이 길어 산소 부족증이나 중추신경계의 장애를 초래할 수 있고 난산의 원인이 된다.

TIP!
정상기간 출생아
37주 이상에서 42주 미만 출생

TIP!
조산아 4대 관리
1. 호흡관리
2. 체온관리: 실내온도 30~32℃, 습도 55~60%
3. 영양보급
4. 감염병의 감염방지: 소독된 마스크, 모자, 가운 등 착용 및 격리

(2) 선천성 기형

① 선천성 기형: 출생하기 전에 주로 원인이 있는 질환으로 정상 비교했을 때 현저히 떨어져 있는 상태
② 원인: 염색체 및 유전자 이상, 임신 초기 임산부의 풍진감염, 방사능 과다 노출, 약품오용 등

제21장 노인보건과 정신보건

1. 노인보건

1) 노인보건 대상: 65세 이상의 인구

2) 노인보건의 필요성

① 노인인구의 증가
② 노인부양 문제의 사회문제화
③ 노인부양비 증가
④ 전체 국민의료비 중 노인의료비 비중 증가

TIP!

노인 인구 비율에 따른 사회

1. 유년 사회: 4% 미만
2. 청년 사회: 4~7% 미만
3. 고령화 사회: 7~14% 미만
4. 고령 사회: 14~20% 미만
5. 초고령 사회: 20% 이상

TIP!

노년부양비

$$= \frac{\text{65세이상 인구} \times 100}{\text{15~64세 인구}}$$

3) 노인질환

(1) 특징

① 병인이 불분명하고 노화와의 구분이 어려우며 선천적 원인과 후천적 원인이 복잡하게 상관하여 질병이 시작된다.
② 증상이 거의 없거나 애매하며 가벼운 증상부터 서서히 만성적이고 퇴행적으로 이행하거나 진행하며 점차 중병의 기능장애로 발전된다.
③ 동일한 질병이라도 성인병과 노년기와의 병상 및 임상형태가 다르며 병증이 심해도 증상은 가볍든지 그 경과가 느리든지 하여 상당한 차이점이 있다.
④ 의학적인 단독 치료가 안 되고 사회, 경제, 간호, 의학 등 전반적인 접근으로 치료해야 한다.

(2) 종류

뇌졸중, 골 · 관절질환(골다공증, 골절, 골관절염, 류마티스성 관절염), 심장질환(협심증, 심근경색증, 심부전 등), 치매(알츠하이머병, 혈관성 치매, 파킨슨병 치매 등), 호흡기능 · 순환기능 · 소화기능 저하, 노화 및 감퇴 등

2. 정신보건

1) 정신보건 정의

정신보건이란 각개인의 정신상태 뿐만 아니라 국가 전체의 정신적 사회적 안정을 추구하는 것을 의미

2) 정신보건 관련 인물

① Philippe Pinel: 프랑스의 정신과 의사로 현대 정신병 치료법 확립자의 한 사람이다. 1792년 프랑스 정신병원의 의사가 되어, 실증적 의학관과 그리스도교적 박애관에 입각하여 족쇄를 풀고 격리가 아닌 정신질환자들을 의학적으로 치료하는 길을 열어 놓았다.

② Celsius: 로마의 의서 「De Medicina」를 저술하였고 중세기 동안 정신 장애인에게 잔혹한 치료를 하게 하는 계기가 되었다.

③ Adolf meyer: 정신장애를 부적응 반응으로서 생물 · 심리 · 사회의 각 측면을 종합하여 전체적으로 보아야 한다고 하여 정신보건운동을 추진했다.

④ Toulous: 프랑스 정신보건연맹을 조직하여 정신보건의 선구자로서 공헌하였다.

⑤ Willian tuke: 요크 정신병원에서 여성 교도가 죽음을 당하자 비인간적 치료에 반감을 갖고 수용소를 설립하는데 기여하며 공공기간에서 정신병자에 대한 인간적 처우의 기준을 설정하였다.

⑥ Clifford Whittingham Beers: 「A Mind That Found Itself」 책을 저술하였으며 이 책에서 그 자신이 3년간 입원되었던 동안 경험했던 수많은 잘못된 치료와 비인간적인 경험을 기술하였다. 현대 정신보건 사업 발전에 크게 기여하였다.

⑦ Francis Galton: 우생학 용어 처음 사용

3) 정신보건 목적

① 정신장애의 예방 및 치료와 정신질환자의 조기발견 및 치료

② 건전한 정신기능의 유지와 증진

③ 사회로의 안전한 복귀

4) 지역정신보건사업의 원칙(G. Caplan)

① 지역주민에 대한 책임

② 환자의 가정과 가까운 곳에서 치료

③ 포괄적인 서비스

④ 여러 전문이력 간의 팀적 접근

⑤ 진료의 지속성

⑥ 지역주민 참여

⑦ 정신보건사업의 평가와 연구

⑧ 예방

⑨ 정신보건자문

⑩ 보건의료서비스와 사회복지서비스와의 연결

5) 주요 정신질환

(1) 조현병(정신분열증)

① 우리나라 정신질환자 중 약 70% 이상으로 가장 많다.

② 청년기에 주로 발병하며 만성적으로 진행된다.

③ 양친 중 한쪽이 조현병이면 자녀의 약 10%에서 발병되고 양친 모두 조현병이면 약 50%에서 발병된다.

④ 망상, 환각, 퇴행적 행동, 비정상적이며 정서변화가 심하다.

(2) 조울증

① 조현병과 함께 2대 내인성 정신병으로 기분 장애의 대표적인 질환 중 하나이다. 양극성 장애, 감정장애 정신병이라고도 하며 기분이 들뜨는 조증이 나타나기도 하고, 기분이 가라앉는 우울증이 나타나기도 한다.

② 양친 중 한쪽이 조울증이면 자녀의 약 30%에서 발병되고 양친 모두 조현병이면 약 60%에서 발병된다.

(3) 뇌전증(간질)

① 뇌전증은 발작증세가 만성적으로 재발하는 질환이다.

② 뇌전증 발작은 여러가지 원인에 의해 발생하며 뇌전증은 이러한 증상이 지속적으로 재발하는 상태로 알코올 중독, 매독 감염, 뇌막염 등을 원인으로 하는 진성간질(원발성 간질)과 일반간질로 구분된다.

③ 양친 중 한쪽이 뇌전증이면, 자녀의 10%에서 발병된다.

(4) 지적장애(정신지체, 정신박약)

① 지적장애는 18세 이전에 시작하는 발달 장애로 일상 생활을 제대로 수행하기 어려운 지적, 인지적, 사회적 능력의 심각한 제한이 있으나 지적장애 자체가 질병은 아니다.

② 구분

- ▸ 중증(백치): IQ 25 미만 또는 성인의 지능연령 6세
- ▸ 중등증(치우): IQ 50 미만 또는 성인의 지능연령 7~12세
- ▸ 경증(노둔): IQ 50~70 또는 성인의 지능연령 13~14세

6) 정신보건법(1995년 제정)

(1) 목적

이 법은 정신질환의 예방과 정신질환자의 의료 및 사회복귀에 관하여 필요한 사항을 규정함으로써 국민의 정신건강증진에 이바지함을 목적으로 한다.

(2) 기본이념

① 모든 정신질환자는 인간으로서의 존엄과 가치를 보장받는다.
② 모든 정신질환자는 최적의 치료와 보호를 받을 권리를 보장받는다.
③ 모든 정신질환자는 정신질환이 있다는 이유로 부당한 차별대우를 받지 아니 한다.
④ 미성년자인 정신질환자에 대하여는 특별히 치료, 보호 및 필요한 교육을 받을 권리가 보장되어야 한다.
⑤ 입원치료가 필요한 정신질환자에 대하여는 항상 자발적 입원이 권장되어야 한다.
⑥ 입원중인 정신질환자는 가능한 한 자유로운 환경이 보장되어야 하며 다른 사람들과 자유로이 의견교환을 할 수 있도록 보장되어야 한다.

(3) 용어의 정의

이 법에서 사용하는 용어의 정의는 다음과 같다.

① "정신질환자"라 함은 정신병(기질적 정신병을 포함한다) · 인격장애 · 알코올 및 약물중독 기타 비정신병적정신장애를 가진 자를 말한다.
② "정신보건시설"이라 함은 이 법에 의한 정신의료기관 · 정신질환자 사회복귀시설 및 정신요양시설을 말한다.
③ "정신의료기관"이라 함은 의료법에 의한 의료기관중 주로 정신질환자의 진료를 행할 목적으로 정신보건법의 시설기준 등에 적합하게 설치된 병원(이하 "정신병원"이라 한다)과 의원 및 병원급 이상의 의료기관에 설치된 정신건강의학과를 말한다.
④ "정신질환자사회복귀시설"(이하 "사회복귀시설"이라 한다)이라 함은 이 법에 의하여 설치된 시설로서 정신질환자를 정신의료기관에 입원시키거나 정신요양시설에 입소시키지 아니하고 사회복귀 촉진을 위한 훈련을 행하는 시설을 말한다.
⑤ "정신요양시설"이라 함은 이 법에 의하여 설치된 시설로서 정신 의료기관에서 의뢰된 정신질환자와 만성정신질환자를 입소시켜 요양과 사회복귀촉진을 위한 훈련을 행하는 시설을 말한다.

제22장 성인보건

1. 만성질환

1) 만성질환의 개념

오랜 기간을 통해 발병해 계속 재발하는 비전염성의 질환으로 질병의 종류에 관계없이 호전되지 않은 상태로 진행되고 유병률이 증가하며 기능장애를 동반하는 질병

2) 만성질환의 위험요인

① 유전적 요인: 당뇨병, 본태성 고혈압, 녹내장 등

② 기호 요인

- 흡연: 만성 호흡기 질환, 심혈관 질환, 암 등
- 음주: 간경화증, 동맥경화증, 간암, 비타민결핍증 등

③ 생활습관 요인: 잘못된 식습관(과식, 식염 과다섭취, 지방 과다섭취, 자극적인 음식 섭취), 운동부족, 수면습관 등으로 고혈압, 당뇨, 고지혈증, 후두암, 식도암, 비만 등 유발

④ 사회경제적 요인: 직업, 소득수준, 거주지, 교육 정도 등의 차이로 질병 발생

⑤ 환경적 요인: 방사선의 노출, 대기오염, 수질오염, 환경오염, 소음 등으로 질병 발생

⑥ 기타 직업, 성별, 출산 등에 의한 요인으로 질병 발생

3) 만성질환의 특징

① 호전과 악화를 반복하며 관리는 되지만 완치는 되지 않는 영구적 성격을 갖는다.

② 불분명한 발생시점을 갖는다.

③ 직접적인 원인이 되는 요인이 존재하지 않고 여러 요인들이 복잡하게 얽혀있다.

④ 잠재기간이 길어 원인 요인 규명이 어렵고 장기간에 걸쳐 치료와 감시 필요하다.

⑤ 개인의 일상적인 건강행동 변화로 예방 가능하며 생활습관과 관련이 높다.

⑥ 건강 취약계층에 많이 발생하고 일단 발생하면 오랜 기간 경과를 취한다.

⑦ 집단발생형태가 아닌 개인적으로 발생한다.

⑧ 장기요양 필요로 인한 사회적 부담이 커져 사회적 노동력 손실 원인이 되기도 하므로 국가적인 관리 필요성이 크다.

4) 우리나라 만성질환 통계(2020년)

① 우리나라 3대 사망원인: 암 > 심장질환 > 폐렴

② 우리나라 5대 사망원인: 암 〉 심장질환 〉 폐렴 〉 뇌혈관질환 〉 자살

③ 우리나라 10대 사망원인: 암 〉 심장질환 〉 폐렴 〉 뇌혈관질환 〉 자살 〉 당뇨병 〉 알츠하이머병 〉 간 질환 〉 고혈압성 질환 〉 패혈증

2. 만성질환의 종류

1) 암

① 우리나라 사망원인 1위

② 암 사망률: 폐암(36.4명), 간암(20.6명), 대장암(17.4명), 위암(14.6명), 췌장암(13.2명). (2020년 통계결과)

③ 발생원인: 가족력, 음주, 흡연, 만성감염, 발암 물질, 식습관, 환경공해, 방사선, 스트레스 등

2) 고혈압

수축기 혈압이 140 mmHg 이상이거나 확장기 혈압이 90 mmHg 이상인 경우로 정상 범위보다 지속적으로 높은 혈압의 만성질환으로 뇌졸중, 심근경색, 등의 심뇌혈관 질환의 주요원인이 된다.

(1) 혈압

혈관 속의 혈액이 혈관벽을 미는 힘으로 심장의 수축과 혈관의 저항 양쪽 사이에서 발생(정상 혈압: 120/80 mmHg)

(2) 분류

① 1차성(본태성) 고혈압: 전체 고혈압 환자의 약 90%로 원인이 불명확하고 흡연, 음주, 가족력, 연령, 식습관, 비만, 스트레스, 운동 부족 등이 고려된다.

② 2차성(속발성) 고혈압: 전체 고혈압 환자의 10~15%로 신장이나 갑상선 질환, 부신 질환 등의 원인 질환이 밝혀져 있어 그로 인해 발생하는 경우로 원인이 명확하여, 원인이 치료되면 고혈압도 치료 가능하다.

(3) 증상

개인에 따라 다르나 합병증이 없는 한 거의 무증상이나 치료하지 않으면 협심증, 심근경색, 뇌졸중, 심부전 등의 심장 질환과 신장 질환, 뇌질환, 말초혈관 질환 등 여러 질병을 유발

(4) 발생원인

염분과 지방의 과다 섭취, 가족력, 비만, 과음, 스트레스, 운동부족 등

3) 당뇨병

체내 탄수화물 대사 이상으로 생기는 질병으로 췌장의 인슐린의 분비량이 부족하거나 정상적으로 기능하지 않아 혈액 속의 포도당 농도가 높아져 소변에 포도당을 배출하는 대사질환

TIP!

인슐린: 혈액 속의 포도당을 에너지로 바꿔주기 위해 포도당을 세포 내로 보내는 작용을 하여 인슐린 분비량이 부족하면 포도당이 혈액 내에 쌓여 고혈당이 되어 소변으로 당이 배출되게 된다.

(1) 분류

① 일차성 당뇨병(원발성 당뇨병)

- 제1형 당뇨병(인슐린 기능결함): 인슐린 의존형 당뇨병, 췌장의 인슐린 생산이 불가능하거나 소량으로 분비하여 발생하는 질병으로 인슐린 결핍 상태이며 인슐린 투여가 필요하다. 인슐린 의존성 또는 소아당뇨라고도 하며 전체 당뇨병의 5% 미만을 차지한다. 40대 이전의 젊은 층에서 발병빈도가 높고 정상체격이거나 마르고 쇠약한 체격을 가진다.
- 제2형 당뇨병(인슐린 기능장애): 인슐린 비의존형 당뇨병, 췌장의 인슐린이 정상적으로 생산되더라도 신체 세포들이 분비된 인슐린을 효과적으로 활용하지 못하여 인슐린의 분비량이 부족하여 발생하는 질병으로 환경적인 영향이 크며 유전적 경향이나 감염, 췌장 수술,약제 등에 의해서도 유발 가능하다. 인슐린 비의존성 당뇨라고 하며 전체 당뇨병의 90% 이상을 차지한다. 40대 이후에 발병빈도가 높고 비만인 경우가 많다.

② 이차성 당뇨병(속발성 당뇨병): 어떤 질환이 원인이 되어 나타나는 당뇨로 만성 췌장염, 췌장질환, 내분비질환(쿠싱증후군, 말단비대증, 갈색세포종 등), 유전적 증후군, 약물 등에 의해서 당뇨병 유발

③ 임신성 당뇨병: 임신 중 처음으로 발생하는 당뇨병이며 태아에서 분비되는 호르몬으로 인슐린 저항성이 생겨 인슐린 분비가 충분하지 않아 발생하는 질병

TIP!

인슐린 저항성: 인슐린의 기능이 저하되어 세포가 포도당을 효과적으로 연소하지 못하는 현상

(2) 당뇨병의 3대 증상

다뇨(소변을 많이 봄), 다갈(심한 갈증을 느낌) · 다음(물을 많이 마심), 다식(많이 섭취)

(3) 발생원인

유전적 요인과 환경적 요인의 복합 작용에 의해 발생

4) 뇌졸중

뇌의 일부분에 혈액공급 혈관이 막히거나 터져서 혈액이 충분히 공급되지 못하여 뇌세포 조직이 손상될 때 발생하는 것으로 주로 피 덩어리가 혈관을 차단하여 발생

(1) 분류

① 뇌경색(허혈성 뇌졸중): 뇌혈관이 혈전이나 색전에 의해 막혀 뇌로 공급되는 혈액량이 감소하여 뇌조직이나 세포가 죽게 되어 회복이 어려운 상태

② 뇌출혈(출혈성 뇌졸중): 뇌혈관의 파혈로 뇌 조직 내부에 혈액이 유출되어 뇌 조직을 압박하는 상태

(2) 발생원인

동맥경화증, 고혈압, 심근경색, 흡연 등

5) 동맥경화증

(1) 정의

동맥 내벽에 콜레스테롤이나 중성지방이 쌓여 탄력이 없어지고, 혈전이 생기는 등의 동맥혈관이 좁아져서 혈액공급이 원활하지 못하여 나타나는 질환

(2) 발생원인

고혈압, 고지혈증, 흡연, 당뇨, 비만, 노화, 스트레스 등

6) 대사증후군

(1) 정의

고혈압, 고혈당, 고지혈증, 비만 등의 여러 질환이 한 개인에게서 한꺼번에 나타나는 상태를 의미한다.

(2) 대사증후군 진단 기준

아래의 기준 중 세 가지 이상에 해당될 때에 대사증후군으로 진단

① 복부비만: 남자의 경우 허리둘레가 102 cm 초과, 여자의 경우 허리둘레가 88 cm 초과(한국인 및 동양인의 경우 대개 남자의 경우 허리둘레 90, 여자 80 이상)
② 고중성지방 혈증: 중성지방이 150 mg/dL 이상
③ 고밀도지단백 콜레스테롤(HDL)이 낮을 경우: 남자의 경우 40 mg/dL 미만, 여자의 경우 50 mg/dL 미만
④ 공복혈당이 100 mg/dL 이상
⑤ 고혈압: 수축기 혈압이 130 mmHg 또는 이완기 혈압이 85 mmHg 이상인 경우

3. 만성질환의 예방 및 관리

1) 만성질환 예방

1차예방	2차예방	3차예방
건강증진	조기 발견, 조기 진단, 집단검진	재활, 치료, 교육
발생률 감소	유병률 감소	사망률 감소

2) 집단검진

(1) 개념

질병의 증상이 없는 사람을 대상으로 조기진단을 위하여 선별검사가 필요하며 그 대상이 지역사회의 인구집단에 적용하는 것.

(2) 목적

① 집단검진의 조기진단으로 조기치료 함으로써 생명의 연장과 질병치료에 도움이 된다.
② 집단검진을 통해 지역사회의 유병률 및 질병상태 파악, 질병발생에 관계되는 요소의 규명, 질병 전체의 규모 및 발생양상 등의 정보를 파악할 수 있다.
③ 질병의 조기상태 파악으로 그 질병의 자연사 및 발생기전을 이해하는데 도움이 된다.
④ 집단검진 실시 과정에서 대상에게 정기적인 건강진단을 받도록 유도할 수 있다.

(3) 집단검진의 조건

① 질병이 비교적 흔하고 중요한 건강문제를 야기하는 것이어서 많은 사람에게 이득이 될 수 있어야 한다.

② 증상 발현 이전에 발견된 병리 상태는 효과적인 치료방법이 있고, 이 치료는 환자에게 이득이 되어야 한다.
③ 정확한 진단 및 치료가 가능한 시설이 있어야 한다.
④ 많은 사람을 검진해야 하므로 경제적이고 그 방법이 용이해야 한다.
⑤ 지역사회 주민들이 쉽게 받아들일 수 있는 방법이어야 한다.
⑥ 질병의 발생 및 진행과정이 알려진 질병이어야 한다.

(4) WHO 국가검진 10대 원칙

질병발생 확률이 비교적 낮은 집단을 대상으로 질병 조기단계에 검색해 내는 검진 조건
① 중요한 건강문제일 것
② 질병의 자연사가 잘 알려진 것일 것
③ 조기에 발견이 가능한 질병일 것
④ 조기에 발견하여 치료가 가능한 질병일 것
⑤ 적절한 검사방법이 있을 것
⑥ 용이한 검사방법이 있을 것
⑦ 이상 소견 발견 시 추가조치(치료 등)할 수 있는 적절한 장비가 있을 것
⑧ 발병이 서서히 일어나 정기적으로 검진을 해야 할 것
⑨ 득이 해보다 클 것
⑩ 비용-효과가 적절할 것